LAUTRÉAMONT

DU MÊME AUTEUR :

LIBRAIRIE JOSÉ CORTI :

L'Eau et les rêves. *Essai sur l'imagination de la matière.*
L'Air et les songes. *Essai sur l'imagination du mouvement.*
La Terre et les rêveries de la volonté. *Essai sur l'imagination des forces.*
La Terre et les rêveries du repos. *Essai sur les images de l'intimité.*

LIBRAIRIE GALLIMARD :

La Psychanalyse du feu.

LES PRESSES UNIVERSITAIRES DE FRANCE :

Le Nouvel Esprit scientifique.
L'Expérience de l'espace dans la physique contemporaine.
La Philosophie du non.
Le Rationalisme appliqué.
La Dialectique de la durée.
L'Activité rationaliste de la physique contemporaine.
Le Matérialisme rationnel.

LIBRAIRIE VRIN :

Essai sur la connaissance approchée.
Etude sur l'évolution d'un problème de physique : la propagation thermique dans les solides.
La Valeur inductive de la Relativité.
Le Pluralisme cohérent de la chimie moderne.
La Formation de l'esprit scientifique : contribution à une psychanalyse de la connaissance objective.

LIBRAIRIE HATIER-BOIVIN :

Les Intuitions atomistiques.

LIBRAIRIE STOCK :

L'Intuition de l'instant.

LIBRAIRIE EYNARD (Rolle-Suisse) :

Paysages (Etudes pour 15 burins d'Albert Flocon, tirage limité).

GASTON BACHELARD

LAUTRÉAMONT

Nouvelle édition augmentée

10e Réimpression

LIBRAIRIE JOSÉ CORTI
11, RUE DE MÉDICIS - PARIS
1986

ISBN 2-7143-0124-X

AGRESSION ET POÉSIE NERVEUSE

> « Vis avec tant de rapidité que tu
> puisses paraître immobile... »
> SIGNORET.

> « L'homme peut tout supporter, si
> cela ne dure qu'une seconde! »
> J.-COWPER POWYS, *Wolf Solent*,
> trad., t. II, p. 358.

I

On ne sait rien sur la vie intime d'Isidore
Ducasse qui reste bien cachée sous le pseudo-
nyme de Lautréamont. On ne sait rien de son
caractère. De lui, on n'a vraiment qu'une œuvre
et la préface d'un livre. C'est à travers l'œuvre
seulement qu'on peut juger ce que fut son âme.
Une biographie fondée sur des éléments aussi
insuffisants ne serait pas explicative. Nous avons

donc reporté en un chapitre ultérieur les divers renseignements que nous avons pu recueillir dans les préfaces des diverses éditions, dans les articles variés consacrés à l'œuvre ducassienne. En fait, nous ne nous sommes pas appuyé sur ces renseignements trop lointains, trop indirects pour la tentative d'explication psychologique que nous apportons ici. Dans les rares occasions où nous pourrons nous référer à un élément biographique, nous le signalerons.

Voici alors notre double but : dans les *Chants de Maldoror,* nous voulons en premier lieu déterminer l'étonnante unité, la foudroyante vigueur de la liaison temporelle. Le mot cherche l'action, dit Maxime Alexandre. Chez Lautréamont, le mot trouve l'action, tout de suite. Certains poètes dévorent ou assimilent l'espace ; on dirait qu'ils ont toujours un univers à digérer. D'autres poètes, beaucoup moins nombreux, dévorent le temps. Lautréamont est un des plus gros mangeurs de temps. C'est là, nous le montrerons, le secret de son insatiable violence.

Nous voulons, en second lieu, dégager un *complexe* particulièrement énergique. Et c'est par cette seconde tâche qu'il nous faut commencer, car c'est précisément le développement de ce complexe qui donne à l'œuvre, dans l'ensemble, son unité et sa vie, dans le détail, sa rapidité et ses vertiges.

Quel est donc ce complexe qui nous paraît dispenser à l'œuvre de Lautréamont toute son énergie ? C'est le *complexe de la vie animale ;* c'est l'énergie d'agression. De sorte que l'œuvre de Lautréamont nous apparaît comme une véritable *phénoménologie de l'agression.* Elle est *agression pure,* dans le style même où l'on a parlé de *poésie pure.*

Or le *temps de l'agression* est un temps très spécial. Il est toujours droit, toujours dirigé ; aucune ondulation ne le courbe, aucun obstacle ne le fait hésiter. C'est un temps simple. Il est toujours homogène à l'impulsion première. Le temps de l'agression est produit par l'être qui attaque dans le plan unique où l'être veut affirmer sa violence. L'être agressif n'attend pas qu'on lui donne le temps ; il le prend, il le crée. Dans les *Chants de Maldoror,* rien n'est passif, rien n'est reçu, rien n'est attendu, rien n'est suivi. Aussi Maldoror est au-dessus de la souffrance ; il donne la souffrance, il ne la reçoit pas. Aucune souffrance ne peut *durer* dans une vie dépensée à la discontinuité des actes hostiles. Il suffit d'ailleurs de prendre conscience de l'animalité qui subsiste en notre être pour sentir le nombre et la variété des impulsions agressives. Dans l'œuvre ducassienne, la vie animale n'est pas une vaine métaphore. Elle n'apporte pas des symboles de passions, mais vraiment des instruments d'attaque. Sous ce rapport, les fables de La Fontaine n'ont rien de commun avec les

Chants de Maldoror. Les fables et les chants sont si nettement inverses que nous pouvons nous référer à leur différence pour faire comprendre en quelques lignes le sens de notre tâche.

Dans les fables de La Fontaine, pas un seul trait de physionnomie animale n'est correct, aucun indice d'une psychologie animale, même superficielle, aucun sens de l'animalisation; rien qu'une pauvre mascarade qui s'amuse de formes animales puérilement observées, rien qu'une ménagerie et une bergerie en bois peint et sculpté. Sous ce prétexte animal, on peut sans doute trouver une psychologie humaine fine ; mais ce talent de psychologue qu'on reconnaît justement au fabuliste ne fait que mieux ressortir la monotonie de la fabulation animalisée. Au contraire, chez Lautréamont, l'animal est saisi non point dans ses formes, mais dans ses fonctions les plus directes, précisément dans ses fonctions d'agression. Alors l'action n'attend pas. L'être ducassien ne digère pas, il mord ; pour lui, l'alimentation est morsure. Le vouloir-vivre est ici un vouloir-attaquer. Il n'est jamais endormi, jamais défensif, jamais repu. Il s'étale dans son hostilité franche, dans son hostilité essentielle. La psychologie humaine socialisée en souffre ; elle apparaît toute violentée, brutalement déformée ; mais l'ardent passé animal de nos passions ressuscite à nos yeux épouvantés. En résumé, La Fontaine a écrit une psychologie humaine sous

la fable animale, Lautréamont a écrit une fable
inhumaine en revivant les impulsions brutales,
si fortes encore dans le cœur des hommes.

Dès lors, quelle rapidité ! A côté de Lautréamont, comme Nietzsche est lent, comme il est
tranquille, comme il est *en famille* avec son aigle
et son serpent ! A l'un les pas du danseur, à
l'autre les bonds du tigre !

II

La preuve positive de cette intense animalisation est facile à donner : la plus simple des
comptabilités la dessine en traits indéniables.
Une fois reconnue, on s'étonne même que cette
animalisation n'ait pas été plus nettement sou-
lignée.

J'ai pris pour base de mon étude l'édition
José Corti préfacée par Edmond Jaloux [1]. Les
Chants de Maldoror en occupe 247 pages. J'ai fait
le registre de tous les noms d'animaux différents
cités dans ces 247 pages. J'en ai trouvé 185. Par-

1. Pour la commodité du lecteur, toutes les références
de l'auteur à cette édition (1938) ont été remplacées, dans
la présente réimpression, par des renvois aux pages de
l'édition de 1953, où le texte de JALOUX est accompagné
des préfaces de GENONCEAUX, GOURMONT, BRETON, GRACQ,
CAILLOIS, SOUPAULT, BLANCHOT.

mi ces 185 animaux, la plupart sont invoqués à plusieurs pages et plusieurs fois par page. En ne tenant pas compte des répétitions dans chaque page, on trouve 435 références à la vie animale. A vrai dire, quelques références sont introduites par des locutions toutes faites comme à pas de loup, nu comme un ver, noir comme un corbeau. Du fait de cet animalisme usé, il faudrait retrancher environ le dixième des références. Il resterait alors 400 actes animalisés.

Certaines pages ont une densité animale incroyable. Cette densité correspond d'ailleurs à une somme d'impulsions et non pas à une somme d'images. Ce caractère impulsif, actif, volontaire, est ainsi très différent de l'accumulation d'animaux qui viennent en paquet dans l'œuvre de Victor Hugo. Chez le poète des *Travailleurs de la Mer,* la collection animale reste statique, inerte ; elle a été *vue.* Les formes bizarres et pittoresques sont la marque de la richesse objective du monde. Chez Lautréamont — nous le montrerons — la vie animalisée est la marque d'une richesse et d'une mobilité des impulsions subjectives. C'est l'excès du vouloir-vivre qui déforme les êtres et qui détermine les métamorphoses.

En comparaison des animaux, les végétaux n'apparaissent guère que pour la dixième partie. Ils ne jouent dans l'œuvre ducassienne qu'un rôle de décor. Souvent les fleurs sont animalisées, les « camélias vivants » entraînent « un être humain vers la cave de l'enfer » (p. 220). Si les fleurs restent vraiment « végétales », elles sont puériles : « la tulipe et l'anémone babillent » (p. 229). L'odorat est un sens trop passif pour que Lautréamont s'occupe des odeurs. A ce point de vue, les fleurs sont mal associées : la guirlande « de violettes, de menthes et de géraniums » est une horreur olfactive (p. 227). Corrélativement, aucun végétalisme, symbole de vie tranquille et confiante, n'est sensible dans l'œuvre de Lautréamont. Le temps végétal, le temps continu, courbé comme une palme, ne lui a pas offert ses inflexions. Cette absence de végétalisme rend plus évidente la polarisation de la vie par la vitesse et la vigueur animales. La répugnance de Lautréamont pour le repos végétal sera plus sensible si l'on veut comparer le sensualisme dynamique de Lautréamont et le sensualisme reposé de J.-Cowper Powys, si bien caractérisé par Jean Wahl [2].

Sans doute le nombre des références aux diverses formes de vie ne prouve pas à lui seul la suprématie de la vie animale, et l'on se moquera peut-être d'une comptabilité si simpliste;

---

2. JEAN WHAL, « Un défenseur de la vie sensuelle » : J.-C. Powys », in *Revue de Métaphysique et de Morale*, avril 1939.

mais elle nous a semblé suffisante pour définir
à priori cette singulière densité de l'animalisation que nous allons étudier de plus près.

III

Il nous faut donc maintenant établir que la
poésie de Lautréamont est une poésie de l'excitation, de l'impulsion musculaire, et qu'en particulier elle n'est en rien une poésie visuelle des
formes et des couleurs.

Les formes animales y sont mal dessinées.
En fait, elles ne sont pas *reproduites;* elles sont
vraiment *produites*. Elles sont induites par les
actions. Une action crée sa forme, comme un
un bon ouvrier crée son outil. On se tromperait
donc si l'on imaginait dans la vie d'Isidore
Ducasse une période contemplative où il se
serait amusé aux mille jeux des êtres vivants,
et ce que nous dit un de ses condisciples sur son
intérêt pour l'histoire naturelle, sur sa longue
contemplation d'une cétoine endormie au cœur
des roses, ne désigne vraiment pas l'axe du lautréamontisme. C'est par le dedans que l'animalité est saisie, dans son geste atroce, irrectifiable,
issu d'une volonté pure. Ainsi, dès l'instant où
l'on pourra créer une poésie de la violence
pure, une poésie qui s'enchanterait des libertés

totales de la volonté, on devra lire Lautréamont comme un précurseur.

Cette violence pure n'est pas humaine; prendre des formes humaines serait la ralentir, la retarder, la raisonner. Mettre à la base de la violence une idée, une vengeance, une haine, serait perdre son ivresse immédiate, indiscutée, son cri.

Alors le verbe perdrait cette valeur originelle qui donne aux *Chants de Maldoror* sa tonalité profonde, cette sûreté musicale, « cette réalisation artistique et littéraire presque impeccable », comme dit Edmond Jaloux.

Cette violence immédiatement réalisée dans la sûreté du geste animalisé, tel est donc, d'après nous, le secret de la poésie active, de la poésie ardente. L'ardeur est un temps, ce n'est pas une chaleur. Jamais une telle ardeur n'avait été si brutale avant celle des *Chants de Maldoror*. Jean Cassou a fort bien reconnu la parenté de l'expression du Comte de Lautréamont et de l'expression du Marquis de Sade. Mais chez le Marquis de Sade, la violence reste humaine, elle reste soucieuse de son objet. D'où chez Sade, comme le dit Pierre Klossowski [3], « un attarde-

---

3. PIERRE KLOSSOWSKI, « Temps et agressivité », in *Recherches Philosophiques*, V, p. 104. L'étude de Klossowski apporte un précieux exemple de la structure temporelle spéciale d'une œuvre originale.

ment devant l'objet » que n'accepterait pas la mobilité ducassienne. Dans la *Lettre d'un lycanthrope,* Casanova n'arrive pas non plus à franchir la frontière humaine. Pour lui, « l'utérus pensant », vaguement animalisé, ne traduit qu'une concupiscence commune et monotone. Toutes ses ardeurs sont humaines; elles s'expriment comme des métaphores sans jamais réaliser des métamorphoses.

Nous allons, au contraire, montrer que les gestes, chez Lautréamont, sont assez cohérents et assez vigoureux pour dépasser les frontières humaines et pour prendre possession de psychismes nouveaux.

IV

Il y a d'abord des textes très clairs qui prouvent la frénésie de la métamorphose, et surtout le *bonheur* de la métamorphose (p. 272). « La métamorphose ne parut jamais à mes yeux que comme le haut et magnanime retentissement d'un bonheur parfait, que j'attendais depuis longtemps. Il était enfin venu, le jour où je fus un pourceau! J'essayais mes dents sur l'écorce des arbres; mon groin, je le contemplais avec délice. » Puis, page 274, quand la tension vitale baisse : « Revenir à ma forme primitive fut pour moi une douleur si grande que, pendant les nuits, j'en pleure encore. » Et pour retrouver sa « resplendissante grandeur » il voudra toujours (p. 274) « reprendre, comme un droit, [sa] métamorphose détruite ».

Le plus souvent, la métamorphose, chez Lautréamont, est le moyen de réaliser tout de suite un acte vigoureux. Par conséquent, la métamorphose est surtout une métatropie, la conquête d'un autre mouvement, autant dire d'un nouveau temps. Puisque l'acte vigoureux désiré est un acte d'agression, le temps doit être conçu comme une accumulation d'instants décisifs, sans grand souci de la durée d'exécution. La décision grossit en s'affirmant. Le vouloir-attaquer s'accélère. Un vouloir-attaquer qui diminuerait est une absurdité.

Pour bien comprendre cette accélération vitale, le mieux est de comparer Lautréamont à un auteur comme Kafka, *qui vit dans un temps qui meurt*.

Chez l'auteur allemand, il semble que la métamorphose soit toujours un malheur, une chute, un engourdissement, un enlaidissement. D'une métamorphose, on en meurt. A notre avis, Kafka souffre d'un *complexe de Lautréamont* négatif, nocturne, noir. Et ce qui prouve peut-être l'intérêt de nos recherches sur la *vitesse poétique* et sur la *richesse temporelle*, c'est que la métamorphose de Kafka apparaît nettement comme un étrange ralentissement de la vie et des actions.

En veut-on des preuves ? [4] La mère et la sœur de Grégoire métamorphosé en cancrelas mettent quatre heures pour déplacer un coffre, sans d'ailleurs y parvenir. Grégoire les voit à travers sa fatigue. Puis quand la métamorphose s'invétère [5], Grégoire peu à peu se couvre de glu; il colle aux murs; il vit dans un monde coagulé, dans un temps visqueux; il clopine cahin-caha; il est hébété, toujours en retard d'une idée, d'une sensation. Au moindre effort, « il s'essouffle ». Toute sa vie est une animalité qui décroît peu à peu [6]. « Il reste là pendant des quarts d'heure à branler lentement la tête, les yeux fermés sans vouloir jamais se lever. » Ainsi la volonté est brisée, morte. Grégoire ne veut plus. S'il voulait, il voudrait du passé. Il vit dans un temps sans avenir.

Cette lenteur, elle était le mal profond, le mal lointain qui, sans doute, a entraîné la métamorphose. Grégoire se souvient d'une femme que, du temps de sa forme humaine, dans son adolescence, « il avait recherchée d'une façon sérieuse mais trop lente ».

Quelle profonde unité de diagnostic révèle

4. KAFKA, *La Métamorphose*, trad. *Vialatte*, N.R.F., p. 59.
5. *Ibid.*, p. 70.
6. *Ibid.*, p. 75.

ainsi l'œuvre de Kafka ! Quelle perspicacité
dans cette vue intime de catatonie progressive !
Si on lit la *Métamorphose* en psychologue, on
s'aperçoit que l'aspect étrange de l'œuvre s'efface : l'écrivain nous livre une expérience biologique profonde, celle où le psychisme se coagule
et se décoordonne, où l'action s'allentit et se
désorganise, ce qui prouve la nécessité d'une
vitesse déterminée au-dessous de laquelle les
actions deviennent inefficaces. Les réflexes primitifs eux-mêmes, dans le ralentissement général de la vie, finissent par ne plus jouer [7] : Grégoire mange-t-il ? Il garde un morceau « dans
la bouche pendant des heures ». Qui n'a connu,
aux heures faibles de la vie, cette paresse organique plus triste encore que le dégoût ! Qui n'a
vécu ces cauchemars de la lenteur et de l'impuissance, cet *ennui des organes,* cette mort qui
a perdu même son drame !

Chez Kafka, l'être est ainsi saisi dans son
extrême misère. S'il est vrai, comme le dit
Georges Matisse [8], qu'une « des pires calamités
qui puissent accabler un être vivant est de ne
pouvoir effectuer ses actes moteurs qu'à une
allure très ralentie », il semble que les métamorphoses de Kafka soient sous le mauvais

7. KAFKA, *La Métamorphose*, p. 82.
8. GEORGES MATISSE, *La question de la finalité en Physique et en Biologie,* II, p. 14. Hermann, 468.

signe. Elles expliquent mieux, par antithèse, la dynamogénie qu'un lecteur alerté reçoit à la lecture des *Chants de Maldoror*.

Nous avons donc la chance d'avoir avec Lautréamont et Kafka les pôles extrêmes de l'expérience des métamorphoses. Si l'on voulait alors reconnaître la réalité et la généralité de ces expériences, on pourrait bientôt accumuler les observations; on aurait un thème singulièrement explicatif; et une nouvelle dynamique de la vitalité viendrait expliquer des états poétiques remarquables. Il conviendrait alors, pour juger de la puissance désanimalisante d'une âme et de ses obstacles animalisés, de construire le *bestiaire* de nos rêves. Nous nous apercevrions que nos rêves, sous ce point de vue, se classent assez bien dans une zone intermédiaire entre ceux de Kafka et ceux de Lautréamont. En méditant sur le bestiaire qui s'anime dans notre sommeil, chacun de nous surprendrait le sens dynamique de ses propres métamorphoses. On verrait aussi le pouvoir transformiste des animaux du rêve, et combien devant leur métamorphose le cadre des objets inanimés est stable et monotone. Dans le rêve, les animaux se déforment beaucoup plus vite que les choses; ils ne se développent pas dans le même temps.

Si une confidence personnelle pouvait éclairer la zone intermédiaire dont nous parlons ici, nous définirions le transformisme de notre rêve-

rie comme un lautréamontisme qui se défait.
Nous reconnaissons, en effet, en nous-même une
tendance à animaliser nos peines, nos fatigues,
nos échecs, à accepter trop philosophiquement
toutes ces petites morts partielles qui touchent
à la fois les espoirs et la vigueur. Aussi, c'est
avec un accent de mélancolie, entièrement
étranger aux forces ducassiennes, que nous
modulons l'étrange et profonde phrase d'Armand Petitjean [9] : « Philomèle meurt non point
du mal d'amour, mais du joli mal d'être une
hirondelle. » L'homme meurt aussi du mal d'être
un homme, de réaliser trop tôt et trop sommai-
rement son imagination, et d'oublier enfin qu'il
pourrait être un esprit.

Quoi qu'il en soit, d'ailleurs, de ces formes
intermédiaires nécessairement vagues et fuyantes, il faut bien comprendre que ces formes,
comme celles que nous avons trouvées chez Lautréamont et chez Kafka, sont induites par des
actes, par des volontés. Les formes s'appauvris-
sent chez Kafka parce que le vouvoir-vivre
s'épuise; elles se multiplient chez Lautréamont
parce que le vouloir-vivre s'exalte. Revenons
donc à notre tâche précise et essayons de montrer que l'image ducassienne est essentiellement
active, qu'elle est l'instant d'un vouloir-attaquer,
la réalisation d'une fougue métamorphosante.

9. ARMAND PETITJEAN, *Imagination et Réalisation*, p. 80.

V

En effet, chez Lautréamont, la métamorphose est urgente et directe : elle se réalise un peu plus vite qu'elle n'est pensée; le sujet, étonné, voit soudain qu'il a construit un objet. Et cet objet est toujours un être vivant. Le violent désir de vivre a fait, en polarisant les forces vitales, une vie particulière, étroitement définie, une vie un peu trop vite spécialisée. On a ainsi avec l'imagination ducassienne l'exemple d'une réalisation sommaire, et par conséquent fautive, l'exemple d'une création un peu trop rapide, d'un four trop chaud qui « glace » trop vite le vernis, qui couvre les formes de pointes hostiles, d'angles vifs, qui emprisonne l'être dans sa forme.

Si l'on veut alors avoir le bénéfice complet de la leçon ducassienne, il ne sert à rien de contempler des formes qui sont des arrêts brusques et saccadés, il faut essayer de vivre la série des formes dans l'unité de la métamorphose, et surtout de la vivre *vite*.

Si l'on s'exerce à cette vitesse, on éprouve l'impression ineffable d'une souplesse sensible aux articulations, d'une souplesse anguleuse, bien opposée aux évolutions bergsoniennes de la grâce, évolutions toutes en volutes, toutes végétales. Avec Lautréamont, on est dans le discontinu des actes, dans la joie explosive des instants de décision. Mais ces instants ne sont pas médités, savourés dans leur isolement; ils sont vécus dans leur succession saccadée et rapide. Le goût de la métamorphose ne va pas sans le goût de la pluralité des actes. La poésie ducassienne est un cinéma accéléré auquel, exprès, on enlèverait des formes intermédiaires indispensables. Pour suivre l'allure des métaphores ducassiennes, il faut de l'entraînement, et bien des lecteurs abandonnent le poème, comme brisés, rompus, impatientés. Si Lautréamont vivait moins vite, même en vivant comme il vit, on l'accueillerait parmi les poètes... L'a-t-il vraiment essayé ? Du moins, il a compris ce qui essoufflait le lecteur (p. 275) : « Hélas ! je voudrais développer mes raisonnements et mes comparaisons lentement et avec beaucoup de magnificence... » Mais ce souhait est à peine formulé que la fougue poétique reprend ses créations et les multiplie sans aucun intermédiaire. Lautréamont redit encore à son lecteur : en allant moins vite, tu comprendrais « davantage sinon mon épouvante, du moins ma stupéfaction, quand un soir d'été, comme le soleil semblait s'abaisser à l'horizon, je vis nager, sur la mer, avec de larges pattes de canard à la place des extrémités des jambes et des bras, porteur d'une nageoire dorsale proportionnellement aussi longue et aussi effilée que celle des dauphins, un être humain... ». Déjà, le spectacle d'un nageur est dépassé; déjà, entre en action la *nage en soi;* alors la fonction crée l'organe, d'où les palmes et les nageoires, et bientôt l'horreur de ce qui glisse, visqueux; enfin, l'assaut de l'animalité polymorphe qui vient imposer ses multiples *formules* de nage et, conséquemment, ses *formes* délirantes et mobiles, pleines d'effroi. Ainsi le veut la loi de l'*imagination des actes,* ainsi le veut la fonction *active* de la métaphore que, dans un trait de génie psychologique, Lautréamont appelle : « un pèlerinage indomptable et rectiligne » (p. 279).

Mais comme c'est le mouvement qui compte, les métaphores sont constamment reprises à leur base vitale, et l'on ne sait jamais dans quelle espèce du règne animal va s'effectuer le désir; on ne sait jamais où le geste va trouver la patte ou la dent, la corne ou la griffe. C'est la dynamique de l'agression précise qui déterminera la bête utile. L'homme apparaît alors comme une somme de possibilités vitales, comme un *suranimal,* il a toute l'animalité à sa disposition. Soumis à ses fonctions spécifiques d'agression, l'animal n'est qu'un assassin spécialisé. A l'homme le triste privilège de totaliser le mal, d'inventer le mal. Son vouloir-attaquer est un facteur d'évolution ambiguë (p. 276): « Que l'on sache bien que l'homme, par sa nature multiple et complexe, n'ignore pas les moyens d' [en] élargir encore les frontières » de l'animalité. Bien entendu, il ne s'agit pas, pour Lautréamont, de trouver des transcendances évaporées; nos frontières sont vitales, biologiques; nous devons donc les dépasser vitalement, biologiquement. Notre courage nous donne l'eau, l'air et la terre. Nous avons toutes les patries : l'homme (p. 276) « vit dans l'eau, comme l'hippocampe; à travers les couches supérieures de l'air, comme l'orfraie; et sous la terre, comme la taupe, le cloporte et la sublimité du vermisseau ». Cette totalité animale, ce potentiel biologique varié, ce pluralisme du vouloir-attaquer, voilà « l'exact critérium de la consolation extrêmement fortifiante ».

CHAPITRE II

LE BESTIAIRE DE LAUTRÉAMONT

> « O douce et simple Kitty Bell !
> Savez-vous qu'il existe une race
> d'hommes au cœur sec et à l'œil
> microscopique, armée de pinces et de
> griffes. »
>
> ALFRED DE VIGNY,
> *Stello*, 3e éd., p. 54.

I

Frappé de cette énorme production biologique, de cette confiance inouïe dans l'acte animal, nous avons entrepris une étude systématique du Bestiaire de Lautréamont. En particulier, nous avons essayé de reconnaître les animaux les plus fortement valorisés, les fonctions animales les plus nettement désirées par Lautréamont. Une statistique rapide donne, parmi les 185 animaux du bestiaire ducassien, les premiers rangs au chien, au cheval, au crabe, à l'araignée, au crapaud. Mais il nous est apparu bien vite qu'une statistique en quelque manière formelle éclairait bien peu le problème lautréamontien, et même qu'elle risquait de le mal poser. En effet, se borner à repérer les formes animales dans une exacte comptabilité de leur apparition, c'est oublier l'essentiel du *complexe ducassien*, c'est oublier la dynamique de cette production vitale. Il fallait donc, pour être psychologiquement exact, restituer la valeur dynamique, le *poids algébrique* mesurant l'action vitale des divers animaux. Pas d'autre moyen que de vivre les *Chants de Maldoror*. Regarder vivre ne suffisait pas. Nous nous sommes donc loyalement efforcé d'éprouver l'intensité des actes ducassiens. Et c'est après avoir adjoint un coefficient dynamique que nous avons refait notre statistique. Nous serions naturellement heureux si d'autres lecteurs de Lautréamont voulaient bien vérifier nos coefficients dynamiques qui peuvent être touchés par des majorations personnelles. Du moins, pour les grands traits que nous allons dessiner, nous sommes à peu près sûr qu'ils sont objectifs. Ils sont trop nets pour être les reflets d'une impression personnelle.

Ainsi, le chien et le cheval ne sont pas assez dynamisés, dans les *Chants de Maldoror*, pour garder les premiers rangs. Ils sont des moyens externes. Maldoror active un coursier, excite un chien, mais il n'entre pas dans l'intimité du geste animal. Rien, par exemple, dans les *Chants de Maldoror* qui permette de retrouver l'expérience profonde du centaure, expérience si mal comprise par les anciens mythologues, qui voient toujours des synthèses d'images où il faut voir des synthèses d'actes. Ainsi, dans les *Chants de Maldoror* le cheval ne rue pas; il transporte. Le chien ne dépasse guère la fonction d'agression que lui impose son propriétaire bourgeois. C'est une sorte d'agression déléguée; elle manque de cette franchise qui est le propre de la violence ducassienne. Une autre preuve que le cheval et le chien ne sont que des images extérieures, des images vues, c'est que le cheval et le chien ne se *transforment* pas, c'est que leurs formes ne s'enflent pas comme tant d'autres êtres du Bestiaire, c'est que la gueule du chien ne se multiplie pas pour bien dynamiser la triple violence d'un cerbère. Cheval et chien ne portent aucune trace de la puissance tératologique qui caractérise l'imagination ducassienne. Rien en eux qui pousse encore, qui pousse toujours. Ils ne traduisent aucune impulsion monstrueuse. Finalement, on le voit, des animaux comme le chien ou le cheval, dans les *Chants de Maldoror*, ne désignent nullement un complexe dynamique.

Ils n'appartiennent pas au cruel blason du Comte de Lautréamont.

Nous avons examiné, en second lieu, si la déclaration bien connue (p. 125) : « Moi, je fais servir mon génie à peindre les délices de la cruauté », ne devait pas désigner les dominantes de l'œuvre. Mais, là encore, nous avons dû reconnaître que la cruauté toute faite, représentée par le tigre, par le loup, manquait de valeur dynamique. L'image du tigre, avec sa cruauté classique, bloquerait plutôt le complexe. En tout cas, il nous semble que ce sont ces images bloquées qui arrêtent l'esprit de certains lecteurs. Un critique aussi fin que René Lalou reste ainsi à l'extérieur du lautréamontisme. Il trouve que la belle formule qui vante les délices de la cruauté est bien vite « diluée en expressions banales » [1]. On n'aura pas cette impression de dilution si l'on évite de partir de la cruauté massive, toute faite, totalisée dans un animal traditionnel, si l'on rend la cruauté à son pluralisme, si on la disperse sur toutes les fonctions de l'agression inventive.

---

1. RENÉ LALOU, *Histoire de la littérature contemporaine*, p. 172.

II

Ne pouvant résoudre le problème par des vues d'ensemble, nous avons essayé de le retourner. Nous avons pensé alors qu'il nous fallait étudier les organes offensifs, et que si nous trouvions ainsi les moyens de l'agression ducassienne, de la cruauté qui donne les plus vives délices, nous verrions se former, pour ainsi dire automatiquement, — si le principe de notre explication est exact, — l'animal qui personnifie le type agressif majoré. Aussitôt, tout s'éclaire. Aussitôt, nous voyons se dérouler toutes les phases de la phylogénèse ducassienne. Toutefois, il restera, comme nous le verrons, une raison d'ambiguïté, une raison essentielle; mais il n'y aura plus de confusion, aucune trace de « cette affectation puérilement sadique » qui décide du jugement d'un critique.

Quels sont donc les moyens d'agression animale ? La dent, la corne, la défense, la griffe, la patte, la ventouse, le bec, le dard, le venin... A peu près tous ces moyens sont représentés explicitement dans les *Chants de Maldoror;* mais ils sont bien loin d'être également actifs. Par exemple, on ne peut manquer d'être frappé de la pauvreté de la faune reptile dans le bestiaire ducassien : basilic, boa, python, vipère agissent peu. Parfois, le serpent, la vipère ne sont que les productions du fantasme sexuel indiqué par le symbolisme de la psychanalyse classique [2]. Rien d'étonnant à cette pauvreté, car, à la réflexion, on se rend compte que l'action du venin sert mal la phénoménologie de la cruauté immédiate. En effet, le venin est plutôt perfidie que cruauté. Faut-il rappeler que, dans les Bestiaires du moyen âge, on professe que le venin n'est nuisible que dans les veines de l'homme, d'où son nom ? Un sang généreux se défendrait de lui-même. Il semble que l'homme mordu par le reptile ne puisse succomber que par inadvertance, en s'endormant. L'homme fort et actif ne craint pas la perfidie.

La corne est aussi inactive que le dard envenimé. Par conséquent, en application de notre principe d'explication, on ne doit pas s'étonner qu'il n'y ait que sept bêtes à cornes dans le Bestiaire des 185 animaux ducassiens. Le rhinocéros lui-même, symbolisant un instant un dieu lourd et inactif, au cuir épais, est sans action offensive.

Avec la dent, avec la mâchoire, avec le bec, le complexe de Lautréamont se précise. Quelque chose craque et gémit quand la chouette, « en son vol oblique, [emporte] un rat ou une gre-

2. Cf. pour la vipère : les *Chants de Maldoror*, p. 265.

nouille dans le bec, nourriture vivante, douce pour les petits » (p. 132). De même, un geste total, simple, réussi, est accompli quand les chiens broient les crapauds d'un seul coup de mâchoire.

Alors, derrière les dents, la bouche grandit; un principe qui dévore étend son appétit. La bouche est immense parce que les dents sont actives : le poète se précipite dans l'espace comme dans une bouche (p. 217). Il semble, par certains traits, que les *Chants de Maldoror* donnent une manière de *nourritures terrestres*, nourritures faites de chair et de crâne, toujours sans douceur, toujours surprises dans la joie d'écraser.

Mais ce dernier trait ne représente encore qu'un pauvre rameau du lautréamontisme. Ce n'est pas dans le bonheur de posséder et de digérer que Lautréamont cherche le sens de la vie. Il faut en venir à une cruauté plus gratuite. Et après avoir éliminé les moyens d'agression à faibles coefficients, nous pouvons arriver à des preuves plus nettes de la fécondité de notre explication.

III

En fait, nous croyons que le lautréamontisme joue presque uniquement sur les deux thèmes de la griffe et de la ventouse, correspondant au

double appel de la chair et du sang. Nous
n'avons pas essayé de trouver l'équilibre entre
ces deux facteurs; il faut, croyons-nous, laisser
au lautréamontisme cette ambiguïté; elle est
réelle; elle est profonde. A première vue, c'est
la griffe qui domine; elle est en quelque sorte
plus rapide, plus clairement immédiate que la
ventouse; mais la ventouse donne des jouissances plus prolongées, et, finalement, si l'on nous
obligeait à mettre des coefficients c'est la ventouse que nous donnerions comme le symbole
dominant de l'animalisme ducassien.

Les références à la griffe sont innombrables.
La griffe est la hantise première de l'enfant
craintif (p. 148) : « Mère, vois ces griffes... »
(p. 183). Le Créateur tient sa proie avec « les
deux premières griffes du pied... comme dans une
tenaille » (p. 216). La conscience « ne sait montrer que ses griffes d'acier ». La conscience vient
du Créateur (p. 217) : « Si elle s'était présentée
avec la modestie et l'humilité propres à son
rang... je l'aurais écoutée. Je n'aimais pas son
orgueil. J'étendis une main et, sous mes doigts,
broyai les griffes. » La lutte avec le Créateur se
fait ainsi, griffes contre griffes (p. 224) : « Oui,
je les vois ces griffes vertes... » Il admire comme
une action d'éclat « un coup de griffe sec ».
Quelle jouissance de contempler des lambeaux
de chair « que les griffes de mon maître...

avaient détachés des épaules de l'adolescent » !
Et enfin, méditons ce symbolisme de l'action violente, si clairement exprimé par le poète de la
poésie nerveuse : « Sachez que dans mon cauchemar... chaque animal impur qui dresse sa
griffe sanglante, eh bien ! c'est ma volonté. »
Que serait, en effet, une volonté sans la griffe ?
A l'apprenti en cruauté, dès le premier chant,
Maldoror dira : « On doit laisser pousser ses
ongles pendant quinze jours. » L'univers entier
réalise la griffe. L'Océan lui-même « allonge
[ses] griffes livides ».

La griffe, voilà donc le symbole de la volonté
pure. Qu'il est pauvre et lourd le vouloir-vivre
de Schopenhauer devant le vouloir-attaquer de
Lautréamont ! Le vouloir-vivre garde en effet,
dans la théorie schopenhauerienne, un irrationa-
lisme qui est, au fond, une passivité. Il dure par
sa masse, par la quantité, par la totalité, par le
fait que tout l'univers est vouloir-vivre. La
défaite de l'un est automatiquement la victoire
de l'autre. Le vouloir-vivre est toujours sûr de
réussir. Le vouloir-attaquer est, au contraire,
dramatique et incertain. Il cherche le drame.
Il s'anime dans le dualisme de la peine et de la
joie; on le retrouve dans la dualité des instincts
érotique et agressif. Freud, l'ennemi de la métaphysique, n'a pas hésité à mettre en rapport ces
deux instincts avec les deux forces attractive et

répulsive du monde inorganique [3]. Sans aller
aussi loin, on peut se rendre compte que l'instinct organise et pense. Il maintient les pensées,
les désirs, les volontés spécifiées assez longtemps
pour que ces énergies se matérialisent en organes. L'instinct offensif continue un mouvement
avec une volonté suffisante pour que la trajec-
toire devienne une fibre, un nerf, un muscle. La
joie cruelle d'écarteler écarte, aiguise et multiplie les doigts. Les rapports du moral et du physique sont donc des rapports de formation. Le
vouloir-attaquer forme la pointe. La défense
(coquille ou carapace) est ronde. L'attaque —
vitale ou sexuelle — est pointue. C'est parce que
le vouloir-attaquer est initialement une pointe
que l'épine, chez le végétal, reste un mystère.
C'est peut-être une hérésie de la tranquille
impassibilité [4].

Naturellement, dans une phénoménologie
essentiellement dynamique, il n'y a pas lieu de
distinguer nettement entre la griffe, la pince et

3. FREUD, *Nouvelles conférences sur la psychanalyse,*
trad. p. 141.

4. Ce n'est pas en une digression que nous pouvons
éclairer de quelques lueurs le *mystère de l'épine* dans
une métaphysique du végétalisme. Nous sommes porté à
croire que les principes d'utilité sont là encore bien peu
explicatifs. La rêverie de Remy de Gourmont correspond
sans doute à une vue métaphysique plus séduisante.
Pèlerin du Silence, p. 186 :

la serre. Tous ces organes saisissent avec une volonté unitaire. Ils symbolisent vraiment la convergence d'une multiplicité organique. L'anarchie dans les griffes d'une patte est inconcevable.

A vrai dire, Lautréamont se sert de « ses griffes » en y adjoignant un mouvement raffiné. Les griffes brisent mieux par un mouvement léger et délicat de torsion. C'est là un des mouvements élémentaires des rages ducassiennes ; il s'accompagne aisément d'un sourire cruel. Il est même difficile de le mimer sans sourire (p. 173) : « Je pourrais te prendre les bras, les tordre comme un linge lavé... ou les casser avec fracas, comme deux branches sèches. » Tordre les bras, c'est mettre l'adversaire à genoux. La violence des adolescents, notons-le en passant, se sert de cette brimade. Elle ne laisse pas de trace.

Il semble aussi que le canif, « cette hydre d'acier » (p. 230), soit de l'ordre de l'ongle aigu.

« Acacia, si tes piqûres parfumées sont des jeux d'amour,
« Crève-moi les deux yeux, que je ne voie plus l'ironie de tes ongles.
« Et déchire-moi en d'obscures caresses,
« Arbre à l'odeur de femme, arbre de proie, joie de mon triste cœur. »
En tout cas, partout des griffes — et des griffes que la rêverie interprète en suivant les instincts offensif et sexuel.

Il donne des blessures à la chair plutôt qu'aux organes. La cruauté de Lautréamont n'utilise guère le poignard dont l'action est meurtrière plutôt que cruelle.

Ainsi, en faisant comme nous le proposons, la somme de tous les mouvements de la griffe, en substituant systématiquement aux images toutes faites les fonctions dans leurs essais de synergie, bref en saisissant le vouloir-attaquer dans sa physiologie élémentaire, on arrive à cette conclusion que la volonté de lacérer, de griffer, de pincer, de serrer dans des doigts nerveux est fondamentale. C'est le principe de la cruauté juvénile. La conscience élémentaire de la volonté, c'est le poing crispé.

IV

On va maintenant comprendre l'entrée en scène de l'animal privilégié par l'imagination énergétique de Lautréamont : c'est le crabe, plus particulièrement le crabe tourteau. Le crabe perd plutôt sa patte que de cesser son emprise. Il est moins volumineux que ses griffes. En exagérant dans le sens tératologique de Lautréamont, on énoncerait ainsi la devise du crabe : *il faut vivre pour pincer, et non pincer pour vivre.*

Comme seul l'acte biologique est décisif dans le type d'imagination que nous décrivons, voici qué de soudaines substitutions sont possibles : le crabe est un pou, le pou est un crabe. « O pou vénérable... Fanal de Maldoror, où guides-tu ses pas ? » Alors, les pages fougueuses se succèdent. Au milieu du deuxième chant, apparaissent ces pages consacrées au pou, pages qu'on a prises pour des gageures de mauvais goût, produites dans une frénésie d'originalité malsaine et puérile, et qui, en fait, sont totalement incompréhensibles dans une théorie de l'imagination statique, de l'imagination des formes achevées. Mais un lecteur qui voudra bien suivre la phénoménologie animalisante lira d'un autre œil ; il y reconnaîtra l'action d'une force spéciale, la poussée d'une vie caractéristique. Dans sa virulence, en effet, l'animalité est à son maximum : elle pousse, elle croît, elle domine. Le pou qui aime le sang « serait capable, par un pouvoir occulte, de devenir aussi gros qu'un éléphant, d'écraser les hommes comme des épis ». Aussi, il faut le placer en « haute estime au-dessus des animaux de la création » (p. 185). « Si vous trouvez un pou dans votre route, passez votre chemin » (p. 186). « L'éléphant se laisse caresser, le pou, non. » — « O pou, à la prunelle recroquevillée, tant que les fleuves répandront la pente de leurs eaux dans les abîmes de la mer [...], tant que le vide muet n'aura pas d'horizon

[...], ton règne sera assuré sur l'univers, et ta dynastie étendra ses anneaux de siècle en siècle. Je te salue, soleil levant, libérateur céleste, toi, l'ennemi invisible de l'homme » (p. 187). « Saleté, reine des empires, conserve aux yeux de ma haine le spectacle de l'accroissement insensible des muscles de ta progéniture affamée » (p. 188). La page entière, dans sa barbarie, ne peut se résumer. On a vraiment l'impression qu'on traverse « les royaumes de la colère » : « Si la terre était couverte de poux, comme de grains de sable le rivage de la mer, la race humaine serait anéantie, en proie à des douleurs terribles. Quel spectacle ! Moi, avec des ailes d'ange, immobile dans les airs, pour le contempler ! »

On a souvent cité ces pages comme si elles étaient une parodie écrite par un collégien. C'est méconnaître l'ampleur d'un verbe original, sa sonorité déshumanisée ramenée à des vérités de cri. Psychologiquement, c'est se refuser à vivre cet étrange mythe des métamorphoses qui reste froid et formel chez certains auteurs anciens comme Ovide, et qui se réanime soudain chez des auteurs plus récents qui retournent inconsciemment aux impulsions primitives.

Du pou, du crabe, en dépit des leçons de l'histoire naturelle ou de la sagesse du sens commun, il faut rapprocher l'aigle et le vautour ducassiens. La serre et le bec, qu'une sorte de synergie vitale adapte l'une à l'autre dans la nature animale, doivent, dans une imagination entièrement livrée à une dynamique des gestes animaux, se trouver en synergie imaginative avec la griffe. Le bec de l'aigle, dans le bestiaire de Lautréamont, n'est qu'une griffe : l'aigle ne dévore pas, il déchire. Maldoror se demande (p. 129): « Est-ce un délire de ma raison malade, est-ce un instinct secret qui ne dépend pas de mes raisonnements, pareil à celui de l'aigle déchirant sa proie, qui m'a poussé à commettre ce crime ? » La cruauté peut avoir toutes sortes de raisons ; sauf le besoin, sauf la faim.

L'aigle, comme le pou, comme le crabe, comme tous les animaux vigoureusement imaginés du Bestiaire, peut changer de dimension. Si le combat est nécessaire, « il fera claquer de contentement son bec recourbé », il deviendra « immense » (p. 232). Alors, « l'aigle est terrible, il fait des sauts énormes qui ébranlent la terre... ». On le voit, c'est toujours la même débauche de la force, mais une force toujours spécifique, qui grandit à la mesure de l'obstacle, qui doit toujours dominer la résistance et produire victorieusement les armes de sa faute, les organes animaux de son crime.

Voilà résumée une des lignes de l'action ducassienne. Pour ne pas fatiguer le lecteur, nous n'avons pas donné les nombreuses variantes de ce type d'agression. Il faudrait, d'ailleurs, de longues recherches psychologiques pour classer la faune de l'imagination ducassienne en s'inspirant des mesures dynamiques des différents gestes. Ces mesures dynamiques sont naturellement plus difficiles dans des actions plus effacées comme celles du chacal et du rat, du crocodile et du chat. Mais une telle étude ne serait pas vaine, car une nature profonde commande les fantasmes de Lautréamont. Ces fantasmes ne sont pas des artifices de la fantaisie ; ce sont, primitivement, des désirs d'actions spécifiques. Ils sont produits par une imagination motrice d'une grande sûreté, d'une étonnante inflexibilité.

V

Un autre rameau important du lautréamontisme peut, comme nous l'avons annoncé, être exploré rapidement, car il est très net. C'est celui qui est commandé par le schème dynamique de la ventouse. On trouvera, le long de ce rameau, l'araignée, la sangsue, la tarentule, le vampire et surtout le poulpe. De sorte que l'ambiguïté de la griffe et de la ventouse se polarise dans le pou et la pieuvre.

Avec l'araignée, la sangsue, le poulpe, quelque chose de visqueux et de traînant s'introduit dans la poésie de Lautréamont et vient rompre la monotonie des actes secs qui sont tout de même prédominants.

Là encore, le gonflement et la multiplication des formes montrent assez clairement l'énergie de l'imagination dynamique. On y voit la vieille araignée de « la grande espèce » qui étreint la gorge du dormeur avec ses pattes. On y lit le supplice de « la succion immense » (p. 315). « Il y avait longtemps que l'araignée avait ouvert son ventre, d'où s'étaient élancés deux adolescents, à la robe bleue, chacun un glaive flamboyant à la main... » Puis (p. 319) « un archange, descendu du ciel et messager du Seigneur, nous ordonna de nous changer en une araignée unique, et de venir chaque nuit te sucer la gorge... ».

La jouissance sexuelle prime d'ailleurs la joie alimentaire : « O poulpe au regard de soie ! toi, dont l'âme est inséparable de la mienne ; toi, le plus beau des habitants du globe terrestre, et qui commandes à un sérail de quatre cents ventouses... » Les fantômes de la succion sont toujours androgynes. D'ailleurs cette multiplication des tentacules est dépassée encore en puissance vitale par la formation d'un nouveau monstre, le poulpe ailé qui plane au-dessus des nuages. L'imagination dynamique apparaît alors livrée à une véritable frénésie de métamorphoses (p. 215): « J'appliquai mes quatre cents ventouses sur le dessous de son aisselle, et lui fis pousser des cris terribles... « Sautant l'image intermédiaire, toute visuelle, donc inerte, des tentacules souvent comparées par l'imagination naïve à des reptiles, Maldoror continue : [les cris] « se changèrent en vipères, en sortant par sa bouche, et allèrent se cacher dans les broussailles, les murailles en ruine, aux aguets le jour, aux aguets la nuit. Ces cris, devenus rampants, et doués d'anneaux innombrables, avec une tête petite et aplatie, des yeux perfides, ont juré d'être en arrêt devant l'innocence humaine... ». Dans les bestiaires du moyen âge, la frayeur continue les images comme le fait le cauchemar ducassien ; le « cri rampant, aux yeux perfides », dure des heures ; « la tête de la vipère séparée du tronc siffle encore pendant quinze jours », suivant la « science » médiévale. La voix sifflante qui obsède Maldoror est la voix de son Créateur. Pour Lautréamont, le Verbe est violence, la Genèse est une géhenne, la création une brutalité.

D'ailleurs, la métamorphose revient sans cesse à sa base. Maldoror est désormais un poulpe réel et monstrueux, un poulpe à huit tentacules, un nœud de huit serpents, et l'ennemi de Maldoror en est épouvanté. Voyez aussi cette croissance, cette étreinte indomptable! « Quel ne fut pas son étonnement quand il vit Maldoror, changé en poulpe, avancer contre son corps ses huit pattes monstrueuses, dont chacune, lanière solide, aurait pu embrasser facilement la circonférence d'une planète! Pris au dépourvu, il se débattit,

quelques instants, contre cette étreinte vis-
queuse, qui se resserrait de plus en plus... »

Toutes ces images doivent paraître factices et
repoussantes à un lecteur soumis aux poétiques
visuelles, aux poétiques panoramiques, aux
poétiques statiques. Elles auront cependant une
tout autre valeur pour un lecteur qui s'exercera
à surprendre les images de la motricité : le
serpent, c'est un bras souple, c'est la souplesse.
Le tentacule est alors la réalisation d'une volonté qui sait plier pour vaincre, pour envelop-
per, pour posséder. Une poétique de la volonté
initiale, différente de la poésie plus passive de la
sensation, doit rencontrer les images ducassiennes.

Devant ce désir de succion, il est naturellement tentant de poser un diagnostic de vampirisme. Mais, chez Lautréamont, les indices sont
si nombreux et si mobiles, les *états* sont si
passagers et par conséquent si mal définis qu'il
y aurait imprudence à transcender le récit. En
fait, à côté de symptômes de vampirisme actif,
on trouve, dans les *Chants de Maldoror,* des
scènes de vampirisme passif. Est-ce dans ce
vampirisme passif que Lautréamont souffrant
d'une surabondance de force trouvait un peu
d'apaisement, le sommeil, le repos, le goût
consolant de la mort? (pp. 312-313): « moi qui
fais reculer le sommeil et les cauchemars, je me
sens paralysé dans la totalité de mon corps

quand [l'araignée de la grande espèce] grimpe le long des pieds d'ébène de mon lit de satin. Elle m'étreint la gorge avec ses pattes, et me suce le sang avec son ventre. » Huysmans dit aussi [5] que « le sommeil de plomb est l'une des phases connues de cet état encore mal observé du vampirisme ». En fait, on dort plus profondément avec une succube qu'avec une femme. En tout cas, Lautréamont, l'homme qui ne dort jamais, se laisse épuiser par la noire tarentule, heureux pour une fois de perdre une douloureuse vigueur. Mais ces instants sont rares et l'étonment (p. 163): « Pourquoi cet orage et pourquoi la paralysie de mes doigts ? »

Il suffirait de poursuivre cet adoucissement, de prolonger ce repos trop passager, d'accepter la défaite libératrice, pour trouver une poésie plus sensible, plus proche de la misère humaine, chantante comme la misère féminine. Lautréamont n'eût-il pas admiré un écho adouci de sa peine dans ce poème de Jeanne Mégnen [6] :

Je suis libre...
et pourtant la nuit monte ;
La pieuvre, sinapisme d'angoisse,
fouaille ma poitrine de son bec anxieux,
ses huit bras accolés ventousent ma détresse
et font craquer les os de ma misère.

5. HUYMANS, *Là-Bas*, p. 166.
6. JEANNE MÉGNEN, *O rouge, ô délivrée*, VI.

VI

Voilà, un peu trop systématisés, les deux grands rameaux de la phylogénèse ducassienne. Bien entendu, entre les espèces, il y a des contaminations. Ainsi le poulpe prend des ailes et les poulpes ailés ressemblent de loin à des corbeaux (p. 213). Inversement, dans l'énorme combat de l'aigle et du dragon, l'aigle, collé au dragon (p. 234) « par tous ses membres, comme une sangsue, enfonce de plus en plus son bec... jusqu'à la racine du cou dans le ventre du dragon ». Les serres s'attachent aussi sûrement que des ventouses ; le bec s'arrête de lacérer les chairs pour sucer le sang. Ces interférences des actions de la griffe et de la ventouse montrent bien, croyons-nous, que la volonté d'agression garde en éveil toutes ses puissances et qu'on mutilerait le lautréamontisme si l'on polarisait sa violence dans une voie unique.

Pour être complet, il faudrait maintenant adjoindre à l'étude des mouvements de l'agression bien concrète une étude plus abstraite des mouvements. On verrait alors qu'il y a une hiérarchie des vitesses qui explique une attraction, chez Lautréamont, pour ce qui nage et pour ce qui vole et qui, dans les deux cas, domine ce qui court. On s'apercevrait qu'il y a dans les *Chants de Maldoror* un complexe de la vie marine et un complexe, moins fortement lié, de la vie aérienne.

Parmi les poissons, l'être ducassien dominant est le requin. Lautréamont eût voulu être « le fils de la femelle du requin, dont la faim est amie des tempêtes », et du tigre. Dans les dernières pages du second chant, en une strophe souvent incomprise, Maldoror décrit son étreinte avec la femelle du requin « au milieu de la tempête... à la lueur des éclairs, ayant pour lit d'hyménée la vague écumeuse, emportés par un courant sous-marin comme dans un berceau, et roulant sur eux-mêmes vers les profondeurs de l'abîme, ils se réunirent dans un accouplement long, chaste et hideux !... Enfin je venais de trouver quelqu'un qui me ressemblât-!... Désormais, je n'étais plus seul dans la vie !... Elle avait les mêmes idées que moi !... J'étais en face de mon premier amour ! » Oui, nous sommes ici devant l'amour du gouffre, l'amour froid, l'amour glaçant, celui décrit par les incubes comme la brûlure du froid.

Le feu de la poésie ducassienne est le feu noir et froid (p. 225) : « Je t'assure qu'il n'y a pas de feu dans mes yeux, quoique j'y ressente la même impression que si mon crâne était plongé dans un casque de charbons ardents. Comment veux-tu que les chairs de mon innocence bouil-

lent dans la cuve ?... » Maldoror ne peut aimer
que dans la mer.

Devant un tel amour, il semble aussi que la
conscience du mal soit si vive que la pureté est
reconquise dans cette voie. En effet, a-t-on re-
marqué la vertigineuse *différentielle* psychanalytique des deux mots associés « chaste et hideux » ? Comment mieux déshonorer son plaisir ?
Comment mieux affermir son dégoût ? Il suffit
de méditer la fin du chant suivant pour comprendre la répulsion du souvenir, la conscience
de l'horreur que peut laisser dans certaines âmes,
le *premier amour* (p. 247) : « Ame royale, livrée
dans un moment d'oubli, au crabe de la débauche, au poulpe de la faiblesse de caractère, au
requin de l'abjection individuelle, au boa de la
morale absente, et au colimaçon monstrueux de
l'idiotisme. » Remarquons, en passant, que tous
nos vices sont concrétisés dans le règne animal.
Chez Lautréamont, la faune est l'enfer du psychisme.

L'amour réalisé est-il une chute, dans un moment d'oubli ? Faut-il donc passer subitement
de Platon à Chamfort, de l'amour platonique —
contact de deux illusions — à l'amour physique
— contact de deux épidermes ? L'épithalame de
la femelle du requin est vraiment un *requiem*.
Il chante la mort d'une innocence, la déception
d'un pur et juvénile enthousiasme.

VII

Par la grâce et la liberté des mouvements, c'est l'oiseau qui symbolise, dans les poèmes ducassiens, l'activité facile et heureuse. Aussi, tout de même, dans l'œuvre de Lautréamont, il y a des oiseaux qui chantent...

Le volucraire ducassien est d'ailleurs très varié ; mais, à part l'aigle qui doit sûrement son importance à la parenté de la serre et de la griffe et qui est en somme une griffe volante, aucun oiseau n'est valorisé, aucun n'est violemment dynamisé. Il semble que, dans l'air, nous soyons dans la région des métamorphoses faciles, des métamorphoses sans obstacle. Comme si c'était tout naturel, quand Maldoror a besoin de se cacher : « A l'aide d'une métamorphose, sans abandonner sa charge, il se mêle à la bande des autres oiseaux. » En s'éloignant vers le ciel, l'oiseau se désindividualise ; il devient un vol, le vol en soi [7]. L'imagination activiste n'a pas d'autres raisons de se servir de l'oiseau que pour

7. Cf. PAUL ELUARD, *Donner à voir*, p. 97 : « Il n'y a pas loin, par l'oiseau, du nuage à l'homme. » — ANDRÉ BRETON, *Poisson soluble*, p. 89 : « Les oiseaux perdent leur forme après leurs couleurs. Ils sont réduits à une existence arachnéenne... »

réaliser une libre fuite. La fuite relève d'une psychologie rudimentaire, elle est donc concrétisée par une métamorphose schématique.

Là encore, du poisson à l'oiseau, il y a des contaminations, et le caractère de ces contaminations est bien clair quand on a adopté l'interprétation dynamique que nous proposons pour le lautréamontisme. Il s'agit en effet de la simple composition, presque géométrique, du vol et de la nage. On ne s'étonnera plus, on ne trouvera plus baroque que la résultante *concrète* du vol et de la nage obtenue par l'imagination essentiellement réalisante de Lautréamont soit purement et simplement une queue de poisson munie d'ailes, une synthèse des moyens de propulsion. La nature va jusqu'au bout de la réalisation et fait le poisson volant ; l'imagination ducassienne ne fait que la queue volante. Cette réalisation si grossière, si puérile suffit pourtant, à nos yeux, pour reconnaître que l'imagination ducassienne est *naturelle*. Réciproquement, le poisson volant est un cauchemar de la nature.

Quand le poète s'est donné le droit de schématiser ainsi les réalisations, la puissance de métamorphose est à son comble. Des morceaux d'êtres divers, comme dans un cauchemar, vont s'assembler (p. 354) : « Il retira du puits la queue de poisson et lui promit de la rattacher à son corps perdu, si elle annonçait au Créateur l'impuissance de son mandataire à dominer les va-

gues en fureur de la mer maldororienne. Il lui
prêta deux ailes d'albatros, et la queue de poisson prit son essor... » Naturellement, cette genèse
morcelée, hétéroclite, hébétée, construite sur un
chaos biologique, a donné lieu à des diagnostics
de folie ou à des accusations d'artifices maca-
bres. Il faut y voir simplement une sorte d'étour-
dissement de la faculté animalisante qui, cette
fois, animalise n'importe quoi. Dans son insuffisance, cette synthèse biologique immédiate
montre d'ailleurs fort clairement le *besoin
d'animaliser* qui est à l'origine de l'imagination.
La fonction première de l'imagination est de
faire des formes animales.

Au surplus, si on alllait au fond du rêve, à la
source même des impulsions psychiques, en ne
cherchant pas trop vite, comme le fait souvent
la psychanalyse classique, des traductions humaines des symboles du rêve, on serait moins
étonné des constructions de l'imagination naïve.
Rolland de Renéville a noté, en suivant le psychologue Chamaussel, que l'enfant confond parfois un oiseau avec un poisson. Cette *confusion*,
cette fusion, n'est un non-sens que pour un
esprit imbu de la permanence des formes. Il
n'en est pas de même pour qui accepte le cinétisme comme besoin poétique fondamental : de
la nage au vol, il y a une homothétie mécanique
évidente. L'oiseau et le poisson vivent dans un
volume, alors que nous ne vivons que sur une

surface. Ils ont, comme disent les mathématiciens, une « liberté » de plus que nous. Comme
l'oiseau et le poisson ont un espace dynamique
semblable, il n'est pas absurde, dans le règne
des impulsions, dans le règne de l'imagination
motrice, de confondre les deux genres animaux.
Si la poésie s'anime vraiment aux origines du
verbe, si elle est contemporaine d'une excitation
psychique élémentaire, les mouvements fonda-
mentaux comme la nage, le vol, la marche, le
bond, doivent alerter des poésies spéciales.

L'*Invitation au voyage* est glissante et sans
heurt ; elle se confie aux eaux tranquilles. La
plaine et ses routes invitent le marcheur autrement. On trouverait aisément, dans les poésies
d'un Walt Whitman, les éléments nombreux et
différenciés d'un lyrisme musculaire [8].

Autre preuve qui explique la confusion de
l'oiseau et du poisson. Rolland de Renéville, ce
sourcier de l'expérience poétique, remarque
justement [9] : « que certains occultistes classent
les oiseaux et les poissons dans une race distinc-
te de celle qu'ils assignent aux autres animaux.
Les peintres dits primitifs, de leur côté, nous
ont laissé de nombreux paysages dont les arbres
portent en guise d'habitants des poissons parmi

8. Cf. aussi la belle thèse de C.-A. HACKETT sur Rimbaud, et, du même auteur : *Rimbaud l'enfant.*
9. ROLLAND DE RENÉVILLE, *L'Expérience poétique*, p. 150.

les feuilles. Enfin, et avant tout, l'on ne saurait
oublier que cette confusion singulière est amor-
cée dans les premières lignes de la Bible, où l'on
peut lire que Dieu créa le même jour les poissons et les oiseaux ».

Comme guidé par une lumière naturelle, sans
s'en douter, Lautréamont a donc pénétré dans
ces arcanes du rêve biologique. Lautréamont
représente vraiment, dans la poésie dynamique,
un *primitif*.

VIII

Cette notion de *primitif en poésie* demanderait
des études longues et difficiles, plus psychologiques que littéraires. On se tromperait beaucoup si l'on en cherchait les éléments dans une
poésie de trouvères et de troubadours. En abor-
dant le problème par la voie psychologique, on
ne tarderait pas à s'apercevoir — insoutenable
paradoxe — que la *primitivité en poésie est tar-
dive*. Cela provient sans doute que, dans le règne
du langage plus qu'ailleurs, les valeurs intellectuelles, les valeurs objectives, les valeurs enseignées sont rapidement opprimantes. La *poésie
primitive* qui doit créer son langage, qui doit
toujours être contemporaine de la création d'un
langage, peut être gênée par le langage déjà

appris. La rêverie poétique elle-même est rapidement une rêverie savante, voire une rêverie scolaire. On doit se débarrasser des livres et des maîtres pour retrouver *la primitivité poétique.*

Il faut donc un véritable courage pour fonder, avant la poésie métrique, une *poésie projective,* comme il a fallu un trait de génie pour découvrir — tardivement — sous la géométrie métrique la géométrie projective qui est vraiment la géométrie essentielle, la géométrie primitive. Le parallèle est complet. Le théorème fondamental de la géométrie projective est le suivant : quels sont les éléments d'une forme géométrique qui peuvent être impunément déformés dans une projection en laissant subsister une cohérence géométrique ? Le théorème fondamental de la *poésie projective* est le suivant : *quels sont les éléments d'une forme poétique qui peuvent être impunément déformés par une métaphore en laissant subsister une cohérence poétique ?* Autrement dit, *quelles sont les limites de la causalité formelle ?*

Quand on a médité sur la liberté des métaphores et sur leurs limites, on s'aperçoit que certaines images poétiques se *projettent* les unes sur les autres avec sûreté et exactitude, ce qui revient à dire qu'en *poésie projective* elles ne sont qu'une seule et même image. Nous nous sommes aperçu, par exemple, en étudiant la Psychanalyse du feu, que toutes les « images » du feu interne,

du feu caché, du feu qui couve sous la cendre,
bref du feu qu'on ne voit pas et qui réclame par
conséquent des métaphores, sont des « images »
de la vie. Le lien projectif est alors si primitif
qu'on traduit sans peine, sûr d'être compris de
tous, les images de la vie dans les images du feu
et vice-versa.

La déformation des images doit alors désigner,
d'une manière strictement mathématique, le
groupe des métaphores. Dès qu'on pourrait préciser les divers *groupes* de métaphores d'une
poésie particulière, on s'apercevrait que parfois
certaines métaphores sont manquées parce
qu'elles ont été adjointes en dépit de la cohésion
du groupe. Naturellement, des âmes poétiques
sensibles réagissent d'elles-mêmes à ces adjonctions erronées sans avoir besoin de l'appareil pédant auquel nous faisons allusion. Mais
il n'en reste pas moins qu'une métapoétique
devra entreprendre une classification des métaphores et qu'il lui faudra, tôt ou tard, adopter
le seul procédé essentiel de classification, la
détermination des groupes.

D'une manière plus simple, c'est dans l'étude
de la déformation des images qu'on trouvera la
mesure de l'imagination poétique. On verra que
les métaphores sont naturellement liées aux
métamorphoses, et que, dans le règne de l'imagination, la métamorphose de l'être est déjà une
adaptation au milieu imagé. On s'étonnera

moins de l'importance en poésie du mythe des
métamorphoses et de la fabulation animale.

On peut trouver des exemples de poésie projective, de poésie vraiment primitive, presque à
chaque page du livre de Paul Eluard : *Les animaux et leurs hommes, les hommes et leurs animaux.* Le titre dit d'ailleurs assez clairement la
double possibilité de *projection.* Pour n'en citer
qu'un exemple, dans l'ordre même des images
que nous venons d'étudier chez Lautréamont, re-
portons-nous au poème intitulé *Poisson* :

> Les poissons, les nageurs, les bateaux
>   Transforment l'eau.
> L'eau est douce et ne bouge
> Que pour ce qui la touche.

>   Le poisson avance
> Comme un doigt dans un gant...

Ainsi se cohèrent le milieu et l'être : l'eau se
transforme, elle *gante* le poisson ; inversement,
le poisson s'allonge, s'efface, s'enferme... On a
l'exemple d'une correspondance *éluardienne,*
clairement formelle, qu'il serait intéressant de
confronter avec les *correspondances baudelai-
riennes,* fortement matérielles. Nous trouverions
ainsi de nouvelles raisons pour classer en deux
grands groupes les poètes suivant qu'ils vivent
dans un temps vertical, intime, interne comme
Baudelaire, ou dans un temps franchement mé-

tamorphosant, vif comme une flèche qui court aux bornes de l'horizon, tel serait Lautréamont, tel serait Eluard, chacun, bien entendu, traduisant à sa manière la vie de la métamorphose [10]. La métamorphose, chez Paul Eluard, est plus fluide, les lions eux-mêmes sont aériens : « Et tous les lions que je représente sont vivants, légers et immobiles [11].

On sera encore mieux convaincu si l'on médite sur les étranges illustrations de Valentine Hugo qui accompagnent le livre de Paul Eluard et qui aident si bien la rêverie. Là encore, on aura l'exemple de la peinture qui saisit la puissance transformante, de la peinture dynamique synchrone de la poésie projective. On y verra vraiment le dessin habité par des forces, la matière habitée par la cause formelle, le nageur habité par des poissons, devenant le poisson, achevant le poisson.

Tous les autres poèmes de Paul Eluard et tous les autres commentaires visuels de Valentine Hugo pourraient donner lieu à une étude similaire.

En généralisant ces résultats, nous arrivons à la conviction que le symbolisme littéraire et *le* symbolisme freudien, tels qu'on les voit réalisés

10. Cf. *La Dialectique de la durée,* chapitre : « Les temps surperposés » et « Instant poétique et instant métaphysique », in *Messages,* 1939, II.
11. *Donner à voir,* p. 20.

dans les productions du symbolisme classique
et de l'onirisme normal, ne sont que des exemples mutilés des puissances symbolisantes en
action dans la nature. Ils donnent l'un et l'autre
une expression trop arrêtée. Ils restent les subs-
tituts d'une substance ou d'une personne qui
désertent l'évolution. Ils sont des synthèses trop
tôt nommées, des désirs trop tôt avoués. Une
poésie et une psychologie nouvelles, décrivant
une âme en formation, un langage en fleur doivent renier des symboles définis, des images
apprises pour retourner aux impulsions vitales
et aux poétiques primitives.

IX

Un des caractères que nous voulons signaler
pour finir cette étude déjà trop longue du Bestiaire de Lautréamont, c'est la densité de ses
formes *substantifiées*. Si Lautréamont n'était pas
allé jusqu'à la *présence animale*, s'il s'était con-
tenté de la *fonction*, il eût trouvé peut-être une
audience moins réticente. Comme nous en avons
fait souvent la remarque, il suffirait de désin-
carner les images, d'adoucir les gestes, de voiler
les désirs pour apprivoiser le lautréamontisme.
On peut en donner la preuve sur le plan même
du *langage*. Ainsi, le lecteur accepterait plus

facilement un *adjectif* qu'un *substantif*; il admettrait le remords térébrant, *vulturin*, mais qu'un *vautour*, non plus mythologique, mais réel, rouge, racé, vienne boire le sang d'un cœur et dîner dans une chair, c'est trop; le lecteur comprendrait un regard soyeux, fascinant et les bras d'une mauvaise tentation, mais le poulpe aux yeux de soie, aux bras annelés, à la bouche ubiquitaire, c'est faux puisque c'est révoltant. Toutes ces griffes font un style crispé, crispant. Ces mines de vermines, ces fosses à poux, cette purulence qui pullule donnent l'impression insupportable d'une allitération de la violence, d'une brutalité qu'on estime exagérée parce qu'on doit bien reconnaître qu'elle est fondamentale.

Nous comprenons donc bien que certaines âmes se détournent de Lautréamont. Mais Lautréamont est ainsi. Il illustre un complexe net entre tous, un complexe dangereux, terrible, fortement névrosant. Nous verrons, par la suite, que l'exemple de Lautréamont peut servir à condenser certaines observations psychologiques. Il représente un maximum d'énergie animalisante qui permettra de repérer des énergies sans doute plus civilisées, mais qui retiennent encore, sous des formes amorties, des raisons d'âpreté, des besoins de veangeance, une pure volonté d'agression.

CHAPITRE III

LA VIOLENCE HUMAINE
ET LES COMPLEXES DE LA CULTURE

> « Sonnez, flèches de miel, sur les
> fausse portées fumantes ; œil de tigre,
> frelon fusant, sphynx taupé, navette
> au chant brumeux, chalumeaux du
> jour, enclochez-vous dans l'alvéole ;
> fuyez, secrets pointés, cachés dans le
> ciel, petites clefs plumeuses ; oreil-
> lard, fais ton portemanteau pour la
> nuit dans les cours chaudronnantes
> rayées d'animaux inconnus et de lin-
> ges. Le disque se déclenche au rouge !
> Voici l'Homme ! »
> LÉON-PAUL FARGUE,
> *Espaces*, N.R.F., p. 37.

I

En un court chapitre, on peut essayer de dégager, non plus dans son intrumentalisation animale, mais dans son principe psychologique in-
tellectualisé, la volonté de puissance qui tour-

mente et anime Lautréamont. On obtiendra
alors des actions plus humaines. Ces actions
pouront être, du côté des faibles, plus criminel-
les, du côté de Dieu, plus sacrilèges ; mais, du
moins, elle ne seront pas entièrement défigurées,
comme l'étaient les actions animalisées. Elles
rentreront dans les cadres traditionnels de la
psychologie de la cruauté et de la rébellion. En
les étudiant, nous rejoindrons des problèmes
psychologique plus familiers.

Ce qui frappe dans les vengeances plus propre-
ment humaines de Lautréamont, c'est qu'elles
évincent presque toujours la lutte contre un égal.
Elles s'attaquent au plus faible et au plus fort.
Elles sont ainsi sous le signe de l'ambiguïté organique profonde que nous indiquions dans les
pages précédentes : elles étouffent ou elles grif-
fent. On étouffe le faible. On griffe le puissant.

Cette polarité de la vengeance, que nous allons
développer plus longuement, nous paraît très
spécifique d'un *ressentiment d'adolescent*. C'est
surtout dans l'adolescence que se forme ce complexe ambivalent du ressentiment actif. Alors, on
ne se venge pas de la même façon contre le faible
et contre le fort : on brutalise un camarade ; on
se moque d'un maître. Dans l'adolescence enfin,
l'émulation scolaire donne des jouissances nombreuses dont la grossièreté et l'exhibitionnisme
sont à peine voilés. Etre le premier, quel privilège ducassien : on montre son derrière aux au-

tres. Dans le ciel d'hiver, la grue qui mène le triangle « a le privilège de montrer les plumes de sa queue aux autres grues inférieures en intelligence » (p. 124).

Il est extraordinaire que la psychologie de la brimade et de l'émulation n'ait pas encore tenté un auteur. Un livre entier serait nécessaire pour l'élucider, pour en dégager les caractères sociaux et individuels, pour déterminer les raisons de sa persistance, l'indifférence ou l'incapacité des éducateurs devant cette monstruosité qui marque de deux signes néfastes les brimés et les brimeurs. Les brimades sont plus graves qu'ailleurs dans le milieu scolaire parce qu'elles sont contemporaines d'une culture. Notre thèse, dans ce chapitre, revient à suggérer que la période culturelle de l'adolescence a été, pour Isidore Ducasse, une période douloureuse, intellectuellement névrosante. D'une manière générale, une psychanalyse plus intellectualisée que la psychanalyse classique gagnerait à considérer de plus près les circonstances de la culture. Une psychanalyse de la connaissance ne tarderait pas à découvrir dans la couche sédimentaire — au-dessus de la couche primitive explorée par la psychanalyse freudienne — des complexes spécifiques, des *complexes culturels* résultant d'une fossilisation prématurée.

Du simple point de vue social, dans le milieu scolaire, la légère différence d'âge des adoles-

cents est renforcée par la différence des classes ;
de sorte que le rhétoricien exerce facilement une
volonté de puissance spécifique, d'aspect intellectuel sur les élèves de seconde. Cette facile vanité
est d'ailleurs mise à rude épreuve par le « complexe de supériorité » du professeur. Celui qui
triomphait est alors percé, comme de mille flèches — des flèches de miel ! — par les sarcasmes
du maître. De la vanité triomphante à la vanité
écrasée, il n'y a que l'intervalle de quelques
heures. On a mal mesuré cette double émotion qui traverse les heures scolaires. On
imagine trop facilement que la vanité bafouée
est, de ce fait, corrigée. En réalité, même
sous les formes de l'émulation en apparence
la plus anodine, la vanité est l'occasion de
refoulements très dolorifiques. De sorte que
l'adolescence, dans son effort de culture, est per-
turbée profondément par les impulsions de la
vanité. Les plagiats, les démarquages, les choix
indiscutés du goût, les critiques tranchantes sans
preuves objectives, voilà les séquelles de la classe
de rhétorique. On trouve ailleurs, dans la *Préface à un livre futur,* une apologie du plagiat
présenté comme sain exercice littéraire (p. 381) :
« Le plagiat est nécessaire. Le progrès l'impli-
que. Il serre de près la phrase d'un auteur, se
sert de ses expressions, efface une idée fausse, la
remplace par l'idée juste. »

Le problème psychologique de la culture littéraire n'a d'ailleurs pas encore été examiné sous son aspect strictement linguistique. En fait, la classe de rhétorique est, dans le sens mathématique du terme, un point de rebroussement pour l'évolution de la vie expressive. C'est là que le langage doit se réformer, se redresser, se corriger sous la moquerie olympienne du maître. C'est là qu'il se double vraiment de son étymologie consciente. Pour la première fois, la langue maternelle est l'objet d'une étrange suspicion. Pour la première fois, la langue est surveillée.

Tout poète, même le plus direct, est passé par une période de langage réfléchi, de langage médité. S'il se sert d'une étymologie ineffable, s'il a soudain la grâce d'une naïveté, il en prend une telle conscience qu'il retrouve bientôt la naïveté comme une adresse. Trop heureux celui qui a réfléchi sur sa langue, dans la solitude, en écoutant les livres innombrables, sans accepter le reflet scolaire de *l'homme corrigeant,* de l'homme exhaussé par les deux marches d'une chaire. Pas d'âmes poétiques sans échos multiples et prolongés, sans échos redoublés, sans un essentiel multihumanisme, sans un verbe écouté dans les plaines et les bois, dans l'infini et la retraite, dans la lumière et l'ombre, dans la tendresse et la colère.

II

Ces brèves remarques, en apparence éloignées de notre sujet, devraient, croyons-nous, éclairer quelques problèmes du lautréamontisme. Elles devraient rendre compte du caractère souvent un peu puéril des imprécations, du caractère un peu scolaire des imitations qui rappellent, tout le long des *Chants de Maldoror,* les Musset, les Gœthe, les Byron, les Dante. Elles serviraient aussi de commentaires à certains renseignements que des condisciples nous ont révélés sur la vie de Lautréamont au lycée, sur les heures où le fougueux poète recevait les moqueries et même les punitions d'un professeur de rhétorique hostile à la libre imagination [1].

Seule une évocation des tristes heures scolaires peut nous faire comprendre cette page où Lautréamont, ravalant ses propres larmes, boit « à longs traits, dans cette coupe, tremblante comme les dents de l'élève qui regarde obliquement celui qui est né pour l'oppresser,...» (p. 128). Comment une éducation arbitraire, où le professeur se nourrit « avec confiance des larmes et du sang de l'adolescent », ne laisserait-elle pas au

1. Cf. Art. François Alicot, *Mercure de France,* avril 1928.

cœur du jeune homme d'inexpiables rancunes ?
«Quand un élève interne, dans un lycée, est gou-
verné, pendant des années, qui sont des siècles,
du matin jusqu'au soir et du soir jusqu'au lende-
main, par un paria de la civilisation, qui a constamment les yeux sur lui, il sent les flots tumul-
tueux d'une haine vivace, monter comme une
épaisse fumée, à son cerveau, qui lui paraît près
d'éclater. Depuis le moment où on l'a jeté dans
la prison, jusqu'à celui, qui s'approche, où il en
sortira, une fièvre intense lui jaunit la face, rap-
proche ses sourcils, et lui creuse les yeux. La
nuit, il réfléchit, parce qu'il ne veut pas dormir.
Le jour, sa pensée s'élance au-dessus des murailles de la demeure de l'abrutissement, jusqu'au moment où il s'échappe, ou qu'on le rejette
comme un pestiféré, de ce cloître éternel;... »
(p. 152).

Et comment ne pas être frappé, en lisant les
Chants de Maldoror, du nombre des références
à la dignité de la chevelure ! En une période où
la lettre de Sarcey sur la barbe brisait la carrière
d'un agrégé, quelle devait être la sévérité d'un
censeur de lycée imposant aux élèves la bien-
séance officielle de la coiffure ! Durant les heures
scolaires, Isidore Ducasse n'a-t-il pas souffert
« du manque expressif de chevelure » (p. 271) ?
« Ne me rappelais-je donc pas que, moi aussi,
j'avais été scalpé quoique ce ne fût que pendant
cinq ans (le nombre exact du temps m'avait

failli). » A une année près, cinq ans c'est le temps même que Ducasse a été enfermé dans les prisons universitaires pyrénéennes, Dès lors, si l'on voulait bien considérer que dans l'âge de l'adolescence la moindre vexation peut avoir sur le caratère les plus grands effets, on n'hésiterait pas à reconnaître l'existence d'un *complexe du scalp,* complexe qui est une forme métaphorique du *complexe de castration.* Ce complexe du scalp, avec toutes ses composantes sexuelles, est très apparent dans les *Chants de Maldoror* (p. 267) : « Qui donc alors t'a scalpé ? » » « Peut-être que tu n'as pas de front. » On nous promet bien que les cheveux repoussent, puisque « les cerveaux enlevés reparaissent à la longue chez les animaux », mais les adolescents tondus retrouvent-ils vraiment l'orgueil de leur virilité ? D'où le cauchemar qui termine le quatrième chant : « Eloignez, éloignez donc cette tête sans chevelure, polie comme la carapace de la tortue.»

III

Mais voyons d'une manière plus précise comment la violence ducassienne, portant encore la marque des complexes de la culture, se polarise sous la forme humanisée contre l'enfant et contre Dieu.

L'enfant, par sa faiblesse physique, le jeune camarade, par son retard intellectuel, sont des tentations constantes de violence. Mais, chez Lautréamont, où tout s'individualise, c'est le fils de la famille humaine qu'il veut ravir, un *fils gardé,* bien différent de l'enfant montévidéen exilé sans retour dès l'âge de quatorze ans. Contre ce fils anxieusement protégé, la violence s'intellectualise ; elle devient réfléchie. Tandis que la violence animale s'effectuait sans délai, franche dans son crime, la violence contre l'enfant va être savamment hypocrite. Lautréamont va intégrer le mensonge dans la violence. Le mensonge est le signe humain par excellence. Comme le dit Wells, l'animal n'a pas de geste mensongers.

Toutes les pages où intervient le crime contre l'enfant prennent alors une double durée. Le temps s'y divise en temps agi et temps pensé, et ces deux temps n'ont pas la même contexture, les mêmes principes d'enchaînement, la même causalité. En préparant le crime contre l'enfant avec tous les soins techniques, Lautréamont livre une impression de *temps suspendu,* de sorte que dans les pages trop rares, mais fondamentales, il a su donner l'essence temporelle de la menace, de l'agression différée. Dès que Lautréamont menace, il ne dort plus. Cette absence de sommeil fait pendant à l'absence du rire. Les prunelles de jaspe sont en synergie avec les lèvres de bronze. L'œil et la bouche, ensemble, attendent.

Lautréamont, d'ailleurs, se fatigue vite de la menace. Le fils n'est vraiment pas assez fortement gardé ; la famille est une cage trop mal défendue. En revenant parmi les hommes honnêtes et raisonnables, Lautréamont a l'impression d'entrer dans une société de castors. Lautréamont connaît-il la légende du *Livre des Trésors* ? [2] « Le castor, ou chien portique, est chassé pour ses organes sexuels, fort utiles en médecine. Le castor le sait et se les arrache avec les dents, lorsqu'il est poursuivi, pour qu'on le laisse tranquille. » C'est le châtré par persuasion.

Ainsi l'enfant. Ainsi le bon élève. L'enfant est alors un merveilleux détecteur de puissance. En lui l'éducation a établi des réflexes conditionnels d'une exquise sensibilité : l'enfant, le bon enfant pleure quand on lui fait « les gros yeux ». L'apprenti en violence le plus inexpert, le professeur le plus dépourvu d'énergie vitale peuvent suivre facilement leurs progrès dans l'art de menacer en lisant sur le visage d'un enfant ou d'un élève timide le reflet de *l'angoisse*. Enfin, succès encourageant, l'enfant rend le bien pour le mal,, la tendresse pour la

---

2. CH.-V. LANGLOIS, *La connaissance de la nature et du monde au moyen âge*, p. 382. Paris, 1911.

cruauté : « Tu auras fait le mal à un être humain, et tu seras aimé du même être : c'est le bonheur le plus grand que l'on puisse concevoir. »

Fidèles à l'inspiration d'une psychanalyse de la culture, transposons ces observations du temps de l'enfance au temps de l'adolescence, et nous allons retrouver l'amour ou le respect pour le maître, nous allons retrouver, sur un mode métaphorique, la réplique du complexe de castration. En effet, à l'enfant « chair tendre », « poitrine molle » correspond l'adolescent, verbe ingénu, syntaxe faible, dont la gorge se serre sous la simple accusation d'un solécisme. Il serait pourtant bien facile aux adolescents de détendre par une moquerie le courroux manifestement exagéré du professeur de « bon goût », de langue pure ». Mais ils laissent — ainsi le veut le symbole de l'éducation mutilante — aux mains de leur maître les ciseaux de la censure réthoricienne.

IV

L'enfant n'est qu'un prétexte à l'apprentissage de la cruauté, ou, plus exactement, au passage de la cruauté physique à la cruauté

morale. Maldoror rêve d'un plus grand ennemi,
de l'ennemi le plus conscient de tous. D'où un
défi au Créateur, un défi qui est à la fois ful-
gurant et charnel. Sur ce point, nous pouvons
être bref puisque le beau livre de Léon Pierre-
Quint a mis en lumière cet aspect du lautréamontisme. Léon Pierre-Quint a dégagé en particulier le caïnisme juvénile de l'œuvre [3]. Nous
nous bornerons à accentuer les résonances ado-
lescentes, si sensibles dans l'œuvre du jeune
poète.

Le maître, en son orgueil d'enseigner, s'éta-
blit chaque jour comme le père intellectuel de
l'adolescent. L'obéissance qui, dans le règne de
la culture, devrait être une pure conscience du
vrai, prend alors, du fait de la paternité usur-
pée des maîtres, un goût insupportable d'irra-
tionalisme. Il est irrationnel d'obéir à une loi
avant d'être convaincu de la rationalité de la
loi. De même, l'homme n'est-il pas l'enfant du
Créateur ? N'exige-t-on pas de lui des vertus diverses et mal liées, ne lui impose-t-on pas une
méthode à priori de vie morale ? Or toutes ces
vertus, toutes ces méthodes — comme tout à
l'heure toutes ces rhétoriques — sont des systè-
mes d'obéissance. Elles lient les actes une fatalité

3. LÉON PIERRE-QUINT, *Le comte de Lautréamont et
Dieu*. Marseille. — Cf. en particulier p. 97.

si rapide qu'on en oublie les instants ineffables
d'impulsions, le souffle premier de l'inspiration.
Alors la vie vertueuse est une vie trop monotone,
un morceau tout nu d'obéissance, de même que
la vie littéraire est une vie trop scolaire, trop
fidèle aux héros de l'école, un morceau tout froid
d'éloquence. La vie et le verbe réels doivent être
des révoltes, des révoltes conjuguées, des révoltes
éloquentes. Il faut donc *dire* sa révolte, il faut
la dire à son maître, à ses maîtres, au Maître :
« Eh bien, crie Lautréamont, je me présente
pour défendre l'homme, cette fois ; moi, le
contempteur de toutes les vertus » (p. 215).

La créature créaturée va, par la violence, devenir créaturante. D'où les métamorphoses vou-
lues, et non point passives, où se retrouve, en un
système littéraire, l'exacte réaction des actions
de la création. Les réactions métamorphosantes
sont violentes parce que la *création est une violence*. La souffrance subie ne peut être effacée
que par la souffrance projetée. Les douleurs de
l'enfantement sont compensées par la cruauté de
la conception. La conscience qui se nourrit de
remords, d'un passé, d'un ancêtre, qui se person-
nalise en un père, en un maître, en un Dieu,
s'inversera, en suivant la leçon de Lautréamont,
pour devenir la certitude d'une force, la volonté
d'un avenir, la sûre lumière d'une *personne* ivre
de desseins. Partout, chez tous les êtres, dans
toutes les lignes d'un progrès, on retrouve,

comme une compensation fatale, la loi de l'égalité de l'action arbitraire et de la réaction violente la loi de l'égalité de la révolte et de la création. Plus précisément encore, la violence, la révolte apparaissent à certaines âmes comme la seule issue d'un destin *personnel*. Désobéir — pour celui qui n'a pas été touché par la grâce ou par la raison — est la preuve immédiate et décisive de l'autonomie. Celui qui crée des *personnes* ne doit-il pas alors s'attendre à la révolte ? C'est la fonction immédiate de la personne de se révolter. Il faut à la personne des lumières spéciales pour qu'elle trouve un frein, pour qu'elle ne s'énerve pas sur l'obstacle ; il lui faut un courage spécial pour qu'elle refuse l'impulsion de la rébellion explosive, Lautréamont n'a rien fait pour modérer cette révolte initiale ; il l'a poussée tout de suite jusqu'à son terme. Où la rébellion est-elle la plus intense ? De toute évidence, du côté du plus fort adversaire. Et nous arrivons à comprendre l'équilibre vraiment dynamique, un équilibre d'excitation réciproque entre le Créateur et la créature (p. 216) : « Il me craint et je le crains. » D'une manière générale, une mythologie de la puissance doit créer à la fois des dieux violents et des dieux révoltés.

V

Ainsi, le long de cet axe, on se rend compte que le lautréamontisme va presque fatalement hausser le ton jusqu'au blasphème. Mais c'est ici que nous devons souligner l'inflation vitale réalisée par l'expression littéraire. En somme, la vie d'Isidore Ducasse fut placide. Rien dans sa vie qui rappelle la révolte effective d'un Rimbaud, rien de la fougueuse mobilité de « l'homme aux semelles de vent ». Dès lors, comme nous en avons déjà fait la remarque, il ne nous semble pas qu'on doive sortir de la *vie culturelle* pour expliquer l'œuvre d'Isidore Ducasse. C'est un drame de la culture, un drame né dans une classe de rhétorique, un drame qui doit se résoudre dans une œuvre littéraire. Nous n'en méprisons sans doute pas les douleurs. Mais il n'en est pas moins vrai que le véritable révolté n'écrit pas. Du moins, il cesse d'écrire quand il se révolte. Jean Paulhan, sans mépriser la révolte, se méfie justement « de celle qui vient par voie langagière et comme mécanique [4] ». Précisément, une révolte écrite est l'exacte réaction de ce que Jean Paulhan appelle la Terreur rhétoricienne, cette

4. JEAN PAULHAN, « *Les Fleurs de Tarbes* », *Nouvelle Revue Française*, 1er juin 1936.

sorte de Cerbère, violent gardien d'une étymologie fermée, d'un enfer linguistique où les mots
ne sont que le souffle d'une ombre, la poésie
qu'un souvenir déformé et meurtri.

Il nous semble que notre interprétation du
lautréamontisme comme un groupe de *complexes
culturels* s'accommode aussi parfaitement de la
conclusion du bel article de Ramón Gómez de la
Serna [5] : « Parmi les châtiments qui sont dévo-
lus [à Lautréamont] pour l'éternité, il subit
celui de recopier sans cesse la fin de son troisiè-
me chant. « Vous me copierez une « éternité de
fois, monsieur le Comte, la fin du chapitre
trois », a dû lui dire Dieu avec l'austérité du
maître d'école qui donne à copier cent fois le
verbe avoir. Epouvantable pénitence ! Et Lautréamont écrit et récrit depuis lors la fin du troi-
sième chant ; et il présente au Créateur ses
inutiles copies, et le Créateur les déchire et
attend les suivantes. » Durant ce temps :
« ...Ceux-là mêmes qui faillirent à Dieu, non
ses fils, ni ses petits-fils, mais ceux du commencement du monde, pincent le comte de Lautréamont. » La classe est un enfer et l'enfer est une
classe.

On le voit, l'atmosphère scolaire qui entoure

---

5. Ramón Gómez de la Serna, *Image de Lautréamont*,
in *Le cas Lautréamont*. Paris-Bruxelles, 1925. *Le Disque
Vert*.

les *Chants de Maldoror* n'échappe pas à Ramón Gómez de la Serna ; elle n'a pas échappé non plus à André Malraux. Les *Chants de Maldoror* sont les échos d'un drame de la culture. Il ne faut pas s'étonner qu'ils laissent insensibles la critique littéraire savante qui, trop souvent, continue le métier de professeur.

CHAPITRE IV

LE PROBLÈME DE LA BIOGRAPHIE

> « Ne trépane pas le lion qui rêve... »
> RENÉ CHAR, *Moulin Premier*.

I

L'étude détaillée de la frénésie ducassienne que nous venons de développer sous ses deux formes animale et sociale nous permet peut-être de poser d'une manière un peu plus claire le problème de la « folie » de Lautréamont. L'examen de ce problème va nous montrer quel grand progrès a été réalisé par la psychiatrie au cours du dernier demi-siècle. La psychiatrie a étudié l'énorme domaine des aberrations, des vésanies, des accidents passagers qui mettent une pénombre autour des âmes les plus claires. Réciproquement, elle a décelé, dans les esprits les plus troublés, des synthèses qui sont encore des pensées suffisamment cohérentes pour diriger une vie et pour créer une œuvre.

Aussi, comme ils nous frappent par leur rapidité les jugements péremptoires de certains critiques littéraires ! Sur le cas Lautréamont, un psychologue aussi fin que Remy de Gourmont n'hésite pas. Il ne met pas en doute la folie [1]. Il en fait simplement la folie d'un homme de génie, d'accord avec la psychologie poncive. Il trouve que le long des *Chants de Maldoror* « la conscience s'en va, s'en va... » alors qu'une simple lecture montre au contraire un étonnant crescendo, la ligne inflexible d'un destin spirituel bien homogène, toujours fidèle aux impulsions premières. Il ne juge pas mieux les *Poésies,* où se révèle, dit-il, « l'état d'esprit d'un moribond qui répète, en les défigurant dans la fièvre, ses plus lointains souvenirs, c'est-à-dire pour cet enfant les enseignements de ses professeurs ». Remy de Gourmont parle encore d'une œuvre qui se développe « féroce, démoniaque, désordonnée ou exaspérée d'orgueil en des visions démentes, elle effare plutôt qu'elle ne séduit ». Comme s'il fallait toujours séduire ! Lautréamont ne veut pas séduire, il veut emporter d'un coup sa proie. Quand il est insidieux, c'est pour désordonner

1. Remy de Gourmont, *Le livre des masques,* p. 139.

chez le lecteur le système de lenteur d'une ima-gination non dynamisée. Encore une fois, ce n'est pas en termes d'images visuelles qu'on doit analyser la poésie ducassienne. C'est en termes d'images cinétiques. Il faut la juger comme un système très riche de réflexes, non pas comme une collection d'impressions. On sera bien préparé à cette étude si l'on médite les travaux de Paul Schilder et de Henry Head sur le schéma postural, si bien étudié aussi par Jean Lhermitte dans son livre sur *l'Image de notre corps*. Après la lecture de ces ouvrages modernes, si l'on revient aux *Chants de Maldoror*, on s'apercevra que l'œuvre ducassienne apporte d'innombrables *images corporelles*, des projections actives accélérées, des gestes sans viscosité aucune. Toutes ces activités sont la preuve d'une vie pantomimique qu'on ne peut retracer qu'en suivant des principes biographiques spéciaux. A lire les *Chants de Maldoror, activement,* en éveillant en soi les sympathies musculaires, on comprend ce que serait une hygiène de la volonté pure. Quand on a éprouvé le caractère allégeant d'un entraînement physique uniquement interne, qui cherche la pureté de l'impulsion, on arrive à constituer une sorte de *gymnastique centrale* qui nous débarrasse du souci d'exécuter les mouvements musculaires en nous laissant l'allégresse de les décider. Nous développerons plus longuement dans nos conclusions cette théorie qui revient à

instituer un lautréamontisme franchement vir-
tuel. Nous l'évoquons ici pour faire comprendre
quelle erreur commet Remy de Gourmont quand
il présente Isidore Ducasse comme un agité. Ce
n'est pas un agité, c'est un actif, c'est un activa-
teur.

Léon Bloy n'est pas meilleur psychiatre que
Remy de Gourmont : « L'auteur, dit-il [2], est
mort dans un cabanon, et c'est tout ce qu'on sait
de lui. » Inutile de souligner l'inexactitude du
fait. Le jugement littéraire peut aussi sembler
contradictoire : « Quant à la forme littéraire, il
n'y en a pas. C'est de la lave liquide. C'est insensé, noir et dévorant. » Mais plus loin, Léon
Bloy, par une sorte de sympathie ignorée, invincible, se rend compte que Lautréamont porte
« le signe incontestable du grand poète... l'in-
conscience prophétique ». Jugement profond qui
contredit point pour point l'opinion de René
Lalou, lequel, on s'en souvient, décelait chez
Lautréamont « une soif d'originalité ». La puissance prophétique reconnue n'empêche pas Léon
Bloy de conclure : « C'est un aliéné qui parle,
le plus déchirant des aliénés. »

Léon Bloy a cru remarquer aussi des phéno-
mènes d'autoscopie chez Lautréamont ; mais, là
encore, il faut distinguer. Où Léon Bloy a-t-il vu

_____

2. LÉON BLOY, *Belluaires et Porchers*, p. 5.

que Lautréamont s'adressait à « son foie malade, à ses poumons, à sa bile extravasée, à ses tristes pieds, à ses moites mains, à son phallus pollué, aux cheveux hérissés de sa tête perdue d'effroi » ? En fait, quand la conscience organique se précise chez Lautréamont, c'est toujours la conscience d'une force. L'organe ne s'y désigne pas dans un trouble, dans une douleur, dans une paresse, comme une sorte de folie morcelée qui produirait une hantise, une phobie, une crainte et qui engourdirait la vie psychologique. Il semble que l'endoscopie chez Lautréamont soit au contraire toujours prétexte à une production d'énergie confiante d'elle-même. Cette endoscopie éclaire la conscience du muscle le plus dynamisé. Alors résonne, comme la corde d'une lyre vivante, un élément du lyrisme musculaire. L'harmonie se complète d'elle-même : la conscience musculaire particulière entraîne, par synergie, le corps entier. Un épicurisme actif qui enverrait le reflet de sa joie générale aux différents organes en exigeant que la conscience de la santé s'attache soigneusement aux différentes fonctions serait physiquement dynamogénique. Il développerait cet orgueil anatomique si rarement exprimé, mais qui n'en constitue pas moins *l'histoire naturelle* pour la pensée inconsciente. C'est cette dynamogénie précise, détaillée, analytique que réalise Lautréamont. Pas de gourmandise éclairée sans ce clair et distinct

6

hommage aux organes spécifiques. On goûte le vin blanc de mon pays avec les reins. Encore une fois l'endoscopie ducassienne, endoscopie active, n'a rien à voir avec la physiologie morose qu'évoque Léon Bloy et dont on trouverait de si nombreux exemples dans les pages d'un Huysmans qui peut, à cet égard, servir d'antithèse à Lautréamont.

Des auteurs encore plus récents utilisent avec la même facilité le mot de folie, sans bien mesurer la complexité du rapport de la conscience et de l'inconscient. On est alors conduit à des contre-sens psychologiques. Ainsi René Dumesnil [3] range Lautréamont, avec certains scrupules il est vrai, parmi les fantaisistes : « par sa vie même, si étrange, par ses écrits si fantasques, et où la folie laisse parfois place au génie, Lautréamont est bien un fantaisiste ».

On le voit, la critique littéraire ne se doute pas de la complexité de la folie. Et, curieuse ignorance, la critique littéraire n'a pas pénétré la signification d'une notion indispensable pour comprendre la fonction psychologique essentielle de la littérature, à savoir la notion de *folie écrite*. La critique littéraire n'a pas suivi, en tous leurs détours, ces étranges esprits qui ont la rare faculté d'écrire explicitement leurs complexes. Par

3. RENÉ DUMESNIL, *Le Réalisme*, p. 202.

essence, un complexe est inconscient. Dès qu'un complexe monte jusqu'aux centres du langage, il trouve une possibilité d'exorcisme. Dès qu'il arrive au langage écrit, c'est encore un nouveau problème. Enfin, il n'est pas jusqu'à l'imprimerie qui modifie encore l'état psychique d'un auteur. Certes, la critique psychanalytique abuse actuellement du mot de sublimation, particulièrement impropre dans le cas d'esprits liés en une causalité uniforme, sans développement suivant l'axe que nous avons désigné ailleurs comme l'axe du « temps vertical [4] ». Mais au cours d'une œuvre littéraire qui se réalise, la sublimation prend des sens plus précis. Elle devient une véritable cristallisation objective. L'homme cristallise dans le propre système du livre. Jamais peut-être une cristallisation progressive n'a été plus nette que chez Lautréamont. On peut en donner deux sortes de preuves.

D'abord, il faut rendre hommage à la sûreté verbale de l'œuvre, à la cohérence sonore. Sans l'aide des rimes, sans le garde-fou d'une métrique étroite, les sons se lient comme entraînés par une force naturelle. Edmond Jaloux évoque justement à propos de cette sûreté acoustique la leçon de Flaubert. Sur le fond, même homogé-

---

4. Cf. *Messages*, 1939 : « *Instant poétique et instant métaphysique.* »

néité. Jamais une œuvre violente n'a été moins
tiraillée. On peut dire que dans son aberration,
elle n'aberre pas. C'est une folie sans folies, un
système d'énergie violente qui brise le réel pour
vivre sans scrupule et sans gêne une *réalisation*.
Lautréamont personnifie une sorte de *fonction
réalisante* qui fait pâlir la *fonction du réel*
toujours alourdie par la passivité.

En second lieu, après ces preuves toutes positives de liberté d'esprit, on peut remarquer des
preuves aussi nettes de libération. En effet,
jamais inversion n'a été plus complète que celle
qui détacha Lautréamont des *Chants de Maldoror*. Une fois les *Chants de Maldoror* écrits, une
fois le premier chant imprimé, il semble que
Lautréamont devienne entièrement étranger, in-
différent, ou peut-être hostile à son œuvre.
« Vous savez, dit-il en une lettre (p. 400), j'ai
renié mon passé. Je ne chante plus que l'espoir...
[Je] corrige en même temps six pièces des plus
mauvaises de mon sacré bouquin. » Si Lautréamont eût vécu, c'est dans tout autre voie
qu'il aurait créé des poèmes. Et l'on ne peut se
défendre d'évoquer le silence de Rimbaud pour
le comparer à la soudaine critique qui se mani-
feste dans la *Préface à un livre futur*. Dans les
deux cas, les âmes s'inversent.

D'ailleurs, même du point de vue du complexe
ducassien fondamental, il semble que le sixième

chant en marque déjà l'effacement. Vingt pages
avant la fin, la production animale est quasi
éteinte : il n'apparaît plus d'animaux nouveaux
dans le bestiaire. La tonalité devient aussi moins
éclatante, et une oreille qui s'est mise au diapa-
son des chants précédents sent déjà que les
dernières notes approchent, que le complexe a
déroulé tous ses anneaux. Poétiquement et psychologiquement, les *Chants de Maldoror* consti-
tuent donc une œuvre achevée. Ils effectuent la
saison d'un génie. Dans la *Préface à un livre
futur,* quelques animaux renaîtront, le plus
souvent en paquets, comme des mondes d'images
vivantes reformés dans l'inconscient; à la moindre impulsion polémique, le poète reprendra « le
fouet aux cordes de scorpions ». Mais il sait
désormais que les métamorphoses ont des passions comme germes. Pour décrire les passions
« il suffit de naître un peu chacal, un peu vautour, un peu panthère » (p. 363). Il fera donc
silence sur ses passions. « Si vous êtes malheu-
reux... gardez cela pour vous. »

De Dostoïewski, si nous ne possédions que les
Mémoires écrits dans un souterrain, nous pose-
rions peut-être un diagnostic aussi pessimiste
que ceux précédemment relatés. Dès qu'un esprit peut varier son verbe, il en est le maître.
Or nous avons, en ce qui concerne Lautréamont,
la certitude de cette variation. Lautréamont a
dominé ses fantasmes.

Faut-il enfin ajouter que le maintien de l'impulsion sous la forme verbale, l'absence complète de tout acte délirant suffiraient à prouver la maîtrise de Lautréamont sur ses complexes. Rien, dans sa vie, n'est *étrange*. Il est Montévidéen. Il vient en France pour être lycéen. Il vient à Paris pour faire des mathématiques. Il écrit un poème. Il a des difficultés pour l'éditer. Il prépare une œuvre différente plus sagement adaptée aux timidités des éditeurs. Il meurt. Aucun incident et surtout aucun acte qui décèlent des *étrangetés*. Il faut donc revenir à l'œuvre, s'intaller dans l'œuvre, qui, elle, est génialement étrange, et c'est le procès de l'originalité qui s'engage.

Non vraiment, n'est pas original qui veut. Les esprits qui se manifestent dans le temps où écrit Lautréamont s'efforcent sans doute à l'originalité — et la plupart s'insèrent dans des écoles ! Précisément, je ne vois que trois poètes qui, dans la deuxième moitié du XIXe siècle, aient fondé des écoles *sans le savoir* : Baudelaire, Lautréamont, Rimbaud. Ils sont les maîtres qu'on reconnaît tardivement, après leur mort, des maîtres qui ne se sont pas confiés, pas commentés, pas expliqués. C'est donc une fois à la méditation de l'œuvre que nous devons revenir pour dégager quelque lumière sur la vie, pour résoudre le problème de la biographie.

C'est là aussi la conclusion du bel article de
Gil Robin paru dans le numéro spécial du *Disque
vert*. Gil Robin a saisi, à son origine organique,
la « poussée verbale » qui pousse Lautréamont à
écrire. Le verbe n'est pas seulement déterminé
par les sensations externes, par les expressions
sensibles relatives aux cinq sens : « La cénesthé-
sie aux voix confuses a pour Lautréamont un
langage cruel et précis. » A aucun moment, remarque Gil Robin, on ne sent cette fatigue
intellectuelle, cette fatigue du verbe, cette légère
écholalie qui ramènent, dans certains styles, des
termes favoris, des assonances familières. Alors
la mélodie verbale manque de profondeur. Au
contraire, Lautréamont est « sonore et sympho-
nique à la manière de Berlioz ». Enfin Gil Robin
développe un argument qui nous semble à la fois
très probant et très instructif. Au cas d'une
aliénation mentale, « l'œuvre serait *incommuni-
cable* à la pensée normale. C'est le propre de
l'aliénation de rendre celui qui en est affligé
étranger, dans le sens littéral du mot, par rapport à nous-mêmes. Or, depuis la mort de Lautréamont, nombreux sont les poètes qui ont
vibré aux *Chants de Maldoror,* qui les ont aimés,
qui s'en sont inspirés ». Nous ne saurions trop
souligner cette thèse, car nous croyons que
l'œuvre de Lautréamont est une œuvre très
cohérente qui doit porter la cohésion dans des
activités oniriques et poétiques durant de nom-

breuses générations. Au début de l'ère relativiste, pour prouver la solidité des nouvelles doctrines, Painlevé dit aux ignorants, en parlant des cinquante mathématiciens réunis autour d'Einstein : « Regardez, on les *voit se comprendre.* » Il faut dire de même à ceux qui s'affolent des libertés des surréalistes : « Regardez, on les *voit* comprendre Lautréamont. » Les gestes de Lautréamont, dès qu'on les sent dans leurs impulsions instantanées et groupées, nous apportent, en braille, des nouvelles de notre nuit intime.

Le Dr Jean Vinchon, malgré quelques restrictions, arrive aux mêmes conclusions. Si l'on a parlé d'aliénation, c'est parce que Lautréamont s'est écarté de la psychologie de son temps. Il est à la fois un précurseur de la psychologie abyssale, dont la psychanalyse est un exemple, et de la psychologie posturale développée par Head, par Schilder. Lautréamont, nous dit le Dr Vinchon, « a fait appel à toutes les forces obscures de l'inconscient qui grouillaient en lui, comme les bêtes dans ses *Chants...* De l'inquiétude et de l'anxiété, il a suivi l'émotion à travers les larmes, les grimaces, les exaspérations, les échecs et les mensonges. Il est entré volontairement dans le pays du spleen et de la névrose. Il a cotoyé toutes les anomalies à la recherche du secret du mystère. Mais il s'est enfin ressaisi après avoir poussé ses explorations plus loin que personne avant lui [5] ».

Au retour de ces explorations, on se sent étranger au monde usuel. Comme le remarque justement André Breton [6], l'imagination ducassienne « vous donne conscience de plusieurs autres mondes à la fois au point que vous ne saurez bientôt plus vous comporter dans celui-ci ». En revanche, pourrait-on ajouter, le lecteur assidu de l'œuvre ducassienne comprend que l'expérience commune, dans la vie commune, est — comme toute expérience unitaire — une monomanie. Vivre une vie simplement humaine, en suivant une carrière sociale déterminée, c'est toujours, plus ou moins, être victime d'une idée fixe.

II

Nous allons avoir un autre exemple du caractère artificiel de la biographie externe en examinant le problème des aptitudes mathématiques de Lautréamont. Tous les biographes relatent ces aptitudes. Quelles preuves en apportent-ils ?

5. JEAN VINCHON, « *La folie d'Isidore Ducasse...* », in *Disque Vert, loc. cit.*, p. 54.

6. ANDRÉ BRETON, *Les Pas Perdus*, p. 200.

Simplement celle-ci : Lautréamont a traversé
l'Océan pour se présenter aux examens de l'Ecole
Polytechnique et de l'Ecole des Mines. Tel était
du moins ce qu'on affirmait quand on ignorait
le long séjour d'Isidore Ducasse à Tarbes et à
Pau.

Est-ce vraiment suffisant ? Faut-il donc attri-
buer un talent de mathématicien à tous les can-
didats à l'Ecole Polytechnique ? L'Ecole Polytechnique est aux mathématiques ce qu'est un
dictionnaire de rimes à la poésie baudelairienne.

Ce que la biographie ne dit pas, l'œuvre le
chante. Il y a quelques pages dans les *Chants de
Maldoror* qui se calment et s'élèvent ; ces pages
sont un hymne aux mathématiques : « O mathématiques sévères, je ne vous ai pas oubliées
depuis que vos savantes leçons, plus douces que
le miel, filtrèrent dans mon cœur, comme une
onde rafraîchissante. » On pourrait commenter
dans leur détail les quatre pages, elles n'éclairci-
raient pas sûrement le problème des aptitudes.
Toutefois, une tonalité mystérieuse vient de
retentir, une gravité vient d'apparaître dans
l'œuvre, et si l'on n'est pas sûr de trouver avec
Lautréamont un esprit mathématicien, on a du
moins l'impression de sonder une âme mathématicienne. Il semble que le fougueux poète ait la
soudaine nostalgie d'une discipline, qu'il se sou-
vienne des heures où il arrêtait ses impulsions,
où il anéantissait en lui la vie pour avoir la

pensée, où il aimait l'abstraction comme une belle solitude [7]. C'est pour nous une preuve extrêmement importante de *psychisme surveillé*. On ne fait pas de mathématiques sans cette surveillance, sans cette constante psychanalyse de la connaissance objective qui libère une âme non seulement de ses rêves, mais de ses pensées communes, de ses expériences contingentes, qui réduit ses idées claires, qui cherche dans l'axiome une règle automatiquement inviolable.

Les quatre pages mathématiciennes apparaissent dans les *Chants de Maldoror*, juste après les pages les plus excessives. Lautréamont vient d'exposer l'élevage du pou, il vient de concasser « les blocs de matière animée » constitués par les poux entrelacés ; il va lancer sur les humains, comme des bombes de vie affreuse, les paquets de vermine. Et voici l'apparition — d'une étrange douceur — de la Raison : « Pendant mon enfance, vous m'apparûtes, une nuit de mai, aux rayons de la lune, sur une prairie verdoyante, aux bords d'un ruisseau limpide, toutes les trois égales en grâce et en pudeur, toutes les trois pleines de majesté comme des reines. » C'est pour l'arithmétique, l'algèbre et la géométrie que Lautréamont écrit « cette nuit de mai ». On y sent la douce et poétique expansion d'un cœur en quelque manière non-eucli-

7. Cf. *Poésies*, p. 383.

dien, ivre d'un non-amour, tout à la joie de refuser la joie de vivre abstraitement la non-vie, de s'écarter des obligations du désir, de briser le parallélisme de la volonté et du bonheur : ô mathématiques, « celui qui vous connaît et vous apprécie ne veut plus rien des biens de la terre; se contente de vos jouissances magiques » (p. 191). Ainsi, d'un seul coup, le lecteur a été transporté aux antipodes de la vie active et sensible.

Peut-être devons-nous indiquer aussi une note à peine sensible dans la page, mais qu'il faut toujours réveiller quand on évoque une culture mathématique. C'est précisément la violence, une violence froide et rationnelle. Il n'y a pas d'éducation mathématique sans une certaine méchanceté de la Raison. Est-il ironie plus fixe, plus rapide, plus glaçante que l'ironie du professeur de mathématiques ? Tapi au coin de la classe, comme l'araignée dans son encoignure, il attend. Qui n'a connu l'affreux silence, les heures mortes, l'exquise lenteur des supplices où le meilleur élève perd soudain, avec la confiance, le dynamisme de la pensée enchaînée ? Une perte de vitesse brise l'élan. N'y a-t-il pas un lointain souvenir de sévices spirituels dans cette imprécation ducassienne : O mathématiques, « celui qui ne vous a pas connues est un insensé! Il mériterait l'épreuve des plus grands supplices; car il y a du mépris aveugle dans son insouciance ignorante » ?

Imposer la raison nous paraît une violence insigne, puisque la raison s'impose d'elle-même. Et nous ne pouvons ici nous déprendre d'une idée qui, sous bien des formes, se glisse dans notre esprit : *la sévérité est une psychose;* c'est, en particulier, la psychose professionnelle du professeur. Elle est plus grave chez le professeur de mathématiques que chez tout autre; car la sévérité en mathématiques est cohérente; on peut en démontrer la nécessité; elle est l'aspect psychologique d'un théorème. Seul, le professeur de mathématiques peut être à la fois sévère et juste. Si le professeur de réthorique — perdant le bénéfice de la belle et douce relativité de sa culture — est sévère, il est, du même coup, partial. Aussitôt, il devient un professeur automate. On peut donc se garder facilement de sa sévérité ! Sa sévérité ne réussit pas. L'élève vigoureux a mille moyens pour amortir ou faire dévier la sévérité de son maître.

Faut-il ajouter que dans le règne de la culture adolescente comme dans le règne de l'éducation enfantine la sévérité est névrosante ? On ne s'étonnera plus qu'une âme mathématicienne elle-même puisse être durement marquée par les temps scolaires. Une âme mathématicienne peut avoir, à l'occasion de sa culture spéciale, des goûts multiples, délicats, contradictoires. Les âmes mathématiciennes sont aussi diverses que les âmes poétiques. Elles supportent différem-

ment le poids de la sévérité, de la moquerie, de
la démonstration froide. Il peut se faire que les
Chants de Maldoror soient une réaction à la
mauvaise humeur d'un professeur pyrénéen. En
tout cas, on peut être tenté de chercher l'action
personnelle d'un maître pour expliquer ce mot
profond de Lautréamont (*Poésies*, p. 388) : « Le
théorème est railleur de sa nature. » Oui, vraiment, il y a des théorèmes railleurs, d'autres
sont hypocrites et pervers, d'autres sont en-
nuyeux...

Devant le drame de la pensée ducassienne,
c'est précisément à une sorte de conflit entre des
éléments de la culture rationnelle que songe
Léon Bloy [8] : « La catastrophe inconnue qui fit
de cet homme un insensé a dû... le frapper au
centre même des exactes préoccupations de sa
science et sa rage folle contre Dieu a dû être, nécessairement une rage mathématique. » Il semble
en effet qu'il y ait trace de deux conceptions du
Tout-Puissant dans l'œuvre ducassienne. Il y
a le Tout-Puissant créateur de vie. C'est contre
ce créateur de vie que la violence ducassienne se
révoltera. Il y a le Tout-Puissant créateur de
pensée : Lautréamont l'associe au même culte
que la géométrie. « Le Tout-Puissant s'est révélé
complètement, lui et ses attributs, dans ce tra-

8. Léon Bloy, *loc. cit.*, p. 16.

vail mémorable qui consista à faire sortir, des
entrailles du chaos, vos trésors de théorèmes et
vos magnifiques splendeurs. » Devant ces productions de la pensée mathématicienne contem-
plées dans « des méditations surnaturelles »,
Lautréamont incline les genoux « et sa vénéra-
tion rend hommage à [leur] visage divin,
comme à la propre image du Tout-Puissant ».

On le voit, une adoration de la pensée fait
pendant à une exécration de la vie dans l'œuvre
ducassienne. Mais pourquoi Dieu a-t-il fait de la
vie alors qu'il pouvait faire directement de la
pensée ? Tel est peut-être le drame ducassien
dont Léon Bloy a senti, mieux qu'aucun autre,
la profondeur. En tout cas, il est frappant qu'au
milieu des *Chants de Maldoror* la poésie modifie
son rythme dans le même temps où s'éteint le
blasphème et que cette clairière de silence et de
lumière soit au centre même d'une sorte de forêt
vierge, pleine de monstres et de cris, livrée tout
entière à la double frénésie du meurtre et de la
naissance.

Dans un autre chant, une seule phrase évoque
les mathématiques; c'est pour dire la beauté de
la courbe de poursuite. Ce petit fait nous permet
de présumer que Lautréamont dépassa son pro-
gramme de préparation à l'Ecole Polytechnique,
qu'il ne fut pas spécifiquement un simple
« taupin » mal formé, comme on sait, par l'étude
monotone des coniques. Il semble donc, d'après

ce faible indice, que Lautréamont ait connu une
vie d'études scientifiques un peu libre, dégagée
du rythme des leçons, dépassant une pédagogie
de concours universitaire.

En résumé, une culture mathématique personnelle, une poésie sûre de soi, un verbe aux sonorités exactes, une puissance d'induction poétique
prouvée par la longue influence de l'œuvre,
n'est-ce pas là un ensemble de preuves qui
peuvent nous assurer de l'intégrité d'un esprit ?

III

On le voit, la méditation d'une œuvre profonde conduit à poser des problèmes psychologiques qu'un examen minutieux de la vie ne
saurait guère résoudre. Il est des âmes pour les-
quelles *l'expression* est plus que la vie, autre
chose que la vie. « Le poète, dit Paul Eluard,
pense toujours à *autre chose* [9]. » Et, en application cette remarque à Sade et à Lautréamont,
Paul Eluard précise : « A la formule : vous êtes
ce que vous êtes, ils ont ajouté : vous pouvez
être autre chose. » En général, qu'est-ce qu'une
biographie peut donner pour expliquer une

9. PAUL ELUARD, *Donner à voir*, pp. 73-84.

œuvre *originale,* une œuvre nettement *isolée,* une œuvre où le travail littéraire est vif, rapide, bloqué, d'où, par conséquent, la vie quotidienne est expulsée ? Alors, on aboutit à ces œuvres qui sont des *négatifs* de la vie positive. Aucun révélateur ne peut les redresser. Il faut les prendre dans leur effort de rupture; il faut les comprendre dans leur propre système comme on comprend une géométrie non-euclidienne dans sa propre axiomatique.

Précisément, on peut prendre prétexte des *Chants de Maldoror* pour comprendre ce qu'est une œuvre qui s'arrache en quelque sorte de la vie usuelle pour accueillir une autre vie qu'il faut désigner par un néologisme et une contradiction comme une *vie invivable.* Voilà en effet une œuvre qui n'est pas née de l'observation des autres, qui n'est pas née exactement de l'observation de soi. Avant d'être observée, elle a été créée. Elle n'a pas de but, et c'est une action. Elle n'a pas de plan, et elle est cohérente. Son langage n'est pas l'expression d'une pensée préalable. C'est l'expression d'une force psychique qui, subitement, devient un langage. Bref, c'est une langue instantanée.

Quand le surréalisme retrouvera la trace de Lautréamont, il jouira des mêmes catachrèses ; il brisera les images familières, dût-il faire converger « une machine à coudre et un parapluie sur une table de dissection ». L'essentiel sera de

centrer le mot sur l'instant agressif, en se
libérant des lenteurs du déroulement syllabique
où se complaisaient les oreilles musiciennes. Il
faut en effet passer du règne de l'image au règne
de l'action. La poésie de la colère s'oppose alors
à la poésie de la séduction. La phrase doit devenir un schème de mobiles coléreux. On l'anime
en enchaînant les explosions psychiques, non
pas en administrant des « explosives » dans une
phonétique pédante. Autant dire que l'explosion
n'est pas syllabaire, mais plutôt sémantique.
C'est le sens qui saute, non le souffle. Le *verbe
brisant* de Lautréamont et des bons surréalistes
est donc moins fait pour être *entendu* dans ses
éclats que pour être *voulu* dans sa brusque
décision, dans sa joie de décider. On ne peut
comprendre sa signification énergétique par la
diction ; il faut accepter une induction active,
nerveuse, éprouver sa virilité induite. Ainsi
chantait Wladimir Maïakowski :

> Bientôt la bouche se déchirera des cris.
> J'entends
> doucement
> sauter les nerfs
> comme un malade saute du lit [10].

10. WLADIMIR MAÏAKOWSKI, *Le nuage dans le pantalon*,
trad., p. 21.

Un psychisme *excité,* et non pas un psychisme *consolé,* tel est le bénéfice de la leçon ducassienne. Sans doute, les recherches, dans cette voie, pourraient être innombrables. Elles multiplieraient les expériences de psychologie poétique. Mais la poésie est plus volontiers passive ; elle retourne au mystère comme à un bercail, aux instincts comme à des forces, à la vie comme à un destin. Elle aime suivre une histoire, raconter une existence, romancer un amour. En d'autres termes, la poésie a une tendance quasi invincible à revenir à la vie, dans la vie, à vivre docilement le temps continu de la vie. Nous ne devons donc pas nous étonner que l'exemple de Lautrtéamont reste isolé et qu'en s'écartant des habitudes fondamentales de la vie, il échappe aux principes mêmes d'une étude biographique.

IV

Cependant, comme plusieurs lecteurs n'ont peut-être pas présentes à l'esprit les quelques dates qui marquent la vie du poète, résumons rapidement ce que nous avons pu apprendre dans les diverses études que nous avons lues.

Les divers biographes, comme s'ils avouaient le faible espoir de rattacher l'œuvre de Lautréamont à son temps, divergent déjà sur la date de

la naissance du poète. Pour René Dumesnil,
Lautréamont est né le 4 avril 1850 : le quan-
tième et le mois sont exacts, c'est l'année qui est
fausse. D'autres auteurs indiquent 1847. En
fait, Isidore Ducasse est né à Montevideo le 4
avril 1846 [11]. Remy de Gourmont dit que le
poète est mort « à l'âge de vingt-huit ans [12] ».
Cette erreur est reproduite chez plusieurs critiques. En réalité, Lautréamont est mort à vingt-
quatre ans, le 24 novembre 1870. L'acte de décès
est signé de l'hôtelier et du garçon de l'hôtel où
il est mort (rue du Faubourg-Montmartre, n° 7,
Paris).

Sur son ascendance, nous avons maintenant
quelques renseignements précis qui ont rectifié
des erreurs anciennes. Ces renseignements semblent provenir du livre de Gervasio et Alvaro
Guilloz Munoz paru à Montevideo sur Lautréamont et Laforgue [13]. Le père d'Isidore Ducasse,
François Ducasse, était né près de Tarbes en
1809, sa mère était également née en France en
1821. François Ducasse exerçait le métier d'ins-
tituteur dans une petite commune voisine de

11. Cf. LAUTRÉAMONT, *Œuvres complètes*, Lib. José
Corti, 1953, p. 405.
12. *Ibid.*, p. 17. RÉMY DE GOURMONT, *Le Livre des Masques*, p. 139.
13. Nous n'avons pu nous procurer cet ouvrage. Il a
fait l'objet d'un compte rendu de Valéry Larbaud dans
la *N.R.F.* (1er janvier 1926).

Tarbes, Sarguignet; on trouve sa signature au bas des actes de l'état civil en 1837, 1838, 1839. C'est en 1840 que François Ducasse émigra en Uruguay.

Il est sans grand intérêt pour notre étude particulière de résoudre le problème de la destinée de François Ducasse et celui de sa fortune. Pour les uns, il mourut fortuné; pour les autres, il mourut pauvre, longtemps après la disparition de son fils. En 1860, quand son fils unique eut quatorze ans, François Ducasse l'envoya en France, où le jeune Isidore commença des études secondaires normales. François Alicot a trouvé la trace du séjour d'Isidore Ducasse au lycée de Tarbes, puis au lycée de Pau. Nous avons utilisé plusieurs fois l'article de François Alicot paru dans le *Mercure de France.*

On pourra s'y reporter pour connaître la vie scolaire de Lautréamont, telle du moins qu'elle a pu apparaître à quelques condisciples.

Dans le numéro spécial du *Disque vert* (Paris-Bruxelles 1925), on trouvera une bonne bibliographie des œuvres ducassiennes dressée par Raoul Simonson. Le chant premier des *Chants de Maldoror* parut sous l'anonymat, en août 1868. On s'accorde à penser que l'œuvre avait été écrite en 1867. L'édition G.L.M., entre autres renseignements, donne les variantes du chant premier, telles qu'elles résultent de la comparaison de l'édition 1868 et de l'édition 1869.

On connaît plusieurs logements parisiens de Lautréamont. On sait qu'il loua un piano. Philippe Soupault, par un effort d'imagination sympathique, en dépit des renseignements erronés que lui offrait la biographie au moment où il a écrit son ouvrage, a reconstitué la vie parisienne de Lautréamont avec vraisemblance. Mais encore une fois, les faits connus sont trop peu nombreux pour éclaircir la psychologie ducassienne. Il faudra toujours revenir à l'œuvre pour comprendre le poète. L'œuvre de génie est l'antithèse de la vie.

CHAPITRE V

LAUTRÉAMONT :
POÈTE DES MUSCLES ET DU CRI

I

Rien de plus inimitable qu'une poésie originelle, qu'une poésie primitive ! Rien aussi de
plus primitif que la poésie primitive. Elle commande une vie; elle commande la vie. En se com-
muniquant, elle crée. Le poète doit créer son lecteur et non point exprimer des idées communes.
Une prosodie doit imposer sa lecture et non
point régler des phonèmes, des effusions, des expressions. C'est pourquoi un philosophe qui cherche dans les poèmes l'action des principes méta-
physiques reconnaît sans hésitation la *cause formelle* sous la création poétique. Seule la cause
poétique mêlant la beauté à la forme donne aux
êtres la vigueur de séduire. Qu'on ne voie pas là
un facile pancalisme ! Le beau n'est pas un sim-

ple arrangement. Il a besoin d'une puissance, d'une énergie, d'une conquête. La statue elle-même a des muscles. La cause formelle est d'ordre énergitique. Aussi est-elle à son comble dans la vie, dans la vie humaine, dans la vie volontaire. On ne comprend pas bien une forme dans une contemplation oisive. Il faut que l'être qui contemple joue son propre destin devant l'univers contemplé. Tous les types de poésie sont des types de destin. Une histoire de la poésie est une histoire de la sensibilité humaine. Par exemple, un psychologue attentif jugera le beau livre de Marcel Raymond : *De Baudelaire au surréalisme* [1], comme une véritable *somme* des nouveautés psychologiques. Il sera sans doute frappé d'un fait : presque toujours les nouveautés sont des volontés. La poésie contemporaine en sa variété étonnante prouve que l'homme veut un devenir, il veut un devenir pour son cœur même. Le livre de Marcel Raymond nous donne les multiples avenues d'une affectivité inventive, d'une affectivité normative qui renouvelle et ordonne toutes les forces de l'être.

Dès lors, jamais le beau ne peut être simplement *reproduit*; il faut d'abord qu'il soit *produit*. Il emprunte à la vie, à la matière même, des énergies élémentaires qui sont d'abord *transformées*, puis *transfigurées*. Certaines poésies s'attachent

1. Librairie José Corti, éd.

à la transformation, d'autres à la transfiguration.
Mais toujours l'être humain, par le poème véritable, doit subir une métamorphose. La fonction
principale de la poésie, c'est de nous transformer. Elle est l'œuvre humaine qui nous transforme le plus vite : un poème y suffit.

Bien souvent malheureusement, des images
hétéronomes rompent la loi de l'image active. Un
mimétisme incroyable parodie un mouvement qui
n'est salubre et créateur que dans son intimité.
Ainsi les écoles, quand elles sont dominantes, les
esthétiques, quand elles sont enseignées, arrêtent
les forces métamorphosantes. Il est réservé à
quelques poètes solitaires de vivre en état de
métamorphose permanente. Ils sont, pour un lecteur fidèle, des schèmes de métamorphoses sensibles. Certains poètes directs déterminent en
notre sensibilité une sorte d'induction, un rythme nerveux, bien différent du rythme linguistique. Il faut les lire comme une leçon de vie nerveuse, comme une leçon de vouloir-vivre originel.
C'est ainsi que nous avons tenté de revivre la
force inductive qui parcourt les *Chants de Maldoror*. Nous avons consacré à l'étude de ce poème
de longs mois d'expérience docile et sympathique, en essayant de restituer l'agitation spécifique d'une vie bien différente de la nôtre. Dans
le présent chapitre, sans donner le film complet
des images, nous voudrions montrer comment

s'engage, chez Lautréamont, le dynamisme poétique, nous voudrions préciser le principe de son
Univers actif.

II

Au seuil de la phénoménologie ducassienne,
nous proposons de mettre ce théorème de psychologie dynamique si bien formulé par F. Roels :
« Il n'y a rien dans l'intelligence qui n'ait d'abord
été dans les muscles ». C'est là une juste para-
phrase de la vieille devise des philosophes sen-
sualistes qui ne trouvaient rien dans l'intelligence qui n'ait d'abord été dans les sens.
En fait, une grande partie de la poésie
ducassienne relève de la myopsychè caracté-
sée par Storch (Cf. Wallon, Stades et troubles du développement psycho-moteur et men-
tal chez l'enfant. Paris 1925 p. 166). Cette
myopsychè, le lecteur en docile sympathie avec
Maldoror la sent se raviver presque fibre à fibre.
Une imagerie animalisée l'aide à atteindre ce
curieux état d'analyse musculaire. Il semble, en
effet, que la vie animale coefficiente des muscles
et des organes particuliers au point qu'un animal
entier est souvent le serviteur d'un de ses organes.

Chez Lautréamont, la conscience d'avoir un

corps ne reste donc pas une conscience vague, une conscience endormie dans une heureuse chaleur ; au contraire, elle s'éclaire violemment dans la certitude d'avoir un muscle, elle se projette dans un geste animal longtemps oublié par les hommes.

Le doux Charles-Louis Philippe contemplant l'enfant au berceau disait : (La Mère et l'Enfant, p. 11) « ses pieds s'agitent joliment, l'air un peu fou, et l'on croirait que chaque doigt de pied est une petite boîte à part ». Le plus souvent, c'est aux heures de fatigue, dans le déliement musculaire, que nous avons de telles impressions animalisées. Au contraire, Lautréamont découvre sa force aux heures les plus actives, dans les gestes les plus offensifs. Sa véritable liberté, c'est la conscience des choix musculaires.

III

Pour le caractère direct et premier du frémissement musculaire, on aura tout de suite un exemple dès les premières pages des *Chants de Maldoror*. La haine aux « narines orgueilleuses, larges et maigres » (p. 124), la haine suffit pour redonner la primitivité musculaire à l'être usé, spolié, anéanti pas les sensations les plus passives. Alors le frémissement des narines ne répond pas à l'invasion d'un parfum; l'orgueil d'une narine dynamisée par la haine ne se nourrit pas d'un encens. « Tes narines, qui seront démésurément dilatées de contentement ineffable, d'extase immobile, ne demanderont pas quelque chose de meilleur à l'espace, devenu comme embaumé de parfums et d'encens; car elles seront rassasiées d'un bonheur complet ».

Est-il plus net exemple d'un renversement des valeurs sensibles ? Ce qui était sensation passive est soudain volonté ; ce qui était attente est soudain provocation. L'odorat n'est-il pas le sens le plus passif, le plus terrestre, le plus immobile, le plus immobilisant, celui qui lentement, patiemment, savamment doit attendre que la réalité imposée s'éloigne, s'efface, pour en rêver vraiment, pour écrire son poème ! Quand le parfum sera un souvenir, le souvenir sera un parfum. Le parfum avec sa matière et son idéal pourra s'intégrer dans de riches et vastes correspondances. Mais ce qu'on gagnera en richesse, on le perdra en décision. Une dynamogénie primitive, comme celle qui s'anime dans les *Chants de Maldoror* ne supporte pas les parfums triomphants. Tout cet univers passif et respiré s'affaiblit et s'efface quand l'acte s'impose comme un univers. Le souffle prime les souffles. A la vie offensée succède la vie offensive. Alors la chair en vie est à elle-même sa propre odeur.

IV

Ainsi le plus petit des muscles qui ouvre une narine ou durcit un regard engage une vie et une poésie spéciales. Dans ses *Etudes philosophiques sur l'expression littéraire,* Claude Estève a donné une juste place à cette espèce de syntaxe musculaire (p. 207). « Il n'est pas de sensation qui ne provoque une alerte de toute la musculature. Tous les moyens d'action et de réaction frémissent ensemble à son invite ». Chez Lautréamont, le monde n'a pas besoin de nous inviter à l'acte. Avec la poésie au poignet, Maldoror aborde la réalité, il la malaxe et la pétrit, il la transforme, il l'animalise. Si seulement la matière pouvait être une chair à meurtrir ! « La fureur aux secs métacarpes » (p. 260) impose sa forme au monde brutalisé.

On se tromperait d'ailleurs si l'on imaginait la violence ducassienne comme une violence désordonnée qui s'enivre de son excès. Lautréamont n'est pas un simple précurseur du « paroxysme ». Même dans ses tempêtes énergétiques, le sens musculaire garde chez lui la liberté de décision. Comme l'a montré Henri Wallon, l'enfant turbulent possède de véritables centres de turbulence. Lautréamont, poète turbulent, n'accepte pas les violences troubles. Il n'accepte pas les réactions diffuses, les actions confuses. Il dessine des actes. Il sait administrer son agression. Sans doute, il a dû souffrir — comme tant d'autres ! — des immobilités scolaires. Il a subi les attitudes de l'adolescent assis, de l'écolier réduit aux joies articulaires du coude et du genou. Faire son chemin en jouant des coudes, quelle image d'une humanité sournoise ! Sous l'œil du maître, Isidore Ducasse a tourné le cou hypocritement, en exagérant le tic du col, en cachant l'impulsion primitive sous un mouvement lentement prolongé. « Comme un condamné qui essaie ses muscles, en réfléchissant sur leur sort, et qui va bientôt monter à l'échafaud, debout, sur mon lit de paille, les yeux fermés, je tourne lentement mon col de droite à gauche, de gauche à droite, pendant des heures entières » (p. 135). Pour comprendre dynamiquement de telles pages, il faut retrancher l'image visuelle ; ici, il faut effacer l'échafaud ; on reportera ensuite la juste attention à ces muscles obscurs de la nuque qui, si près de la tête, sont si loin de la conscience. En dynamisant ces muscles, on trouvera très simplement les principes musculaires de l'orgueil humain, si peu différent de l'orgueil léonin. Psychologie du cou et technique du cou trouveront d'abondantes leçons dans les *Chants de Maldoror*.

En méditant de telles leçons on comprendra mieux l'importance des fraises, des cols et des cravates pour la psychologie de la majesté.

Si l'on pouvait développer plus longuement de telles explications, on se rendrait compte que la physiognomonie, dans ses descriptions anatomiques, a oublié presque complètement les caractères temporels du visage. On trouvera ces caractères temporels en revivant la dynamique des gestes dans sa complète syntaxe, en distinguant les diverses phases énergétiques, et surtout en fixant la juste hiérarchie nerveuse des expressions multiples. La figure d'un homme décidé donne les instants de la mutation de son être. Le sens commun est si peu observateur qu'il confond toutes ses remarques sous le simple signe d'un *visage énergique*. Lautréamont ne se fige pas ainsi dans son énergie même. Il garde sans fin la liberté, la mobilité, la décision.

V

Nous trouverons une preuve nouvelle de la primitivité de la poésie ducassienne dans l'importance donnée au *cri*. Pour qui déserte le point de vue de la primitivité comme hiérarchie nerveuse, le cri n'est qu'un accident, un accroc, un archaïsme. Au contraire, la primitivité nerveuse nous prouve que le cri n'est pas un ralliement, pas même un réflexe. Il est essentiellement direct. Le cri n'appelle pas. Il exulte.

Le cri est aussi l'antithèse du langage. Tous ceux qui ont rêvé devant un enfant solitaire, ont été surpris de ses jeux linguistiques : l'enfant joue aux murmures, aux gazouillis, à la voix mouillée, aux timbres des fines clochettes qui sonnent sans résonner — légers cristaux qu'un souffle brise ! Le jeu linguistique cesse quand le cri revient avec ses puissances initiales, avec sa rage gratuite, clair comme un *cogito* sonore et énergétique : je crie donc je suis une énergie.

Alors, encore une fois, le cri est dans la gorge avant d'être dans l'oreille. Il n'imite rien. Il est personnel : il est la personne criée. S'il est retenu, il retentira à son heure, comme une révolte. Tu me tortures — je me tais. Je ne crierai qu'aux jours de ma vengeance. Attends alors un cri noir dans la nuit. Mon offense est une épée ténébreuse. Ma vengeance est un relief brusque des ténèbres. Elle ne signifie rien ; mais, inversement, elle est signée de tout mon être. Ceux qui poussent des cris déchirants ne savent pas crier. Ils ont placé le cri derrière la peur au lieu qu'il est primitivement devant la menace.

Tout ce qui est intermédiaire entre le cri et la décision, toutes les paroles, toutes les confidences doivent se taire (p. 184). « Maintenant, c'est fini depuis longtemps ; depuis longtemps je n'adresse la parole à personne. O vous, qui que vous soyez, quand vous serez à côté de moi, que les cordes de votre glotte ne laissent échapper aucune intonation... et vous-mêmes n'essayez nullement de me faire connaître votre âme à l'aide du langage ».

On n'a peut-être pas attaché assez d'importance à la déclaration d'Isidore Ducasse : « On raconte que je naquis entre les bras de la surdité » (p. 181). La psychologie du sourd-né rendu soudain à l'audition n'a pas été faite, alors que la psychologie de l'aveugle-né, guéri par Cheselden. a été, sans fin, réimaginée. Si vraiment Isidore Ducasse est un sourd-né, il serait intéressant de savoir à quel âge il a pu dire avec étonnement : « C'est moi-même qui parle. Me servant de ma propre langue pour émettre ma pensée, je m'aperçois que mes lèvres remuent... » (p. 282). On l'écouterait alors jusqu'à la frontière de la sensibilité hallucinatoire quand il entend le crépuscule déplier ses voiles de satin gris...

Mais à lire les *Chants de Maldoror,* en les sonorisant en quelque manière nerveusement, c'est-à-dire en ajoutant des sons aux pures impulsions, on s'aperçoit que les voix faibles sont des voix affaiblies. Il faut revenir au cri et reconnaître que le premier verbe est une provocation. Les fantômes ducassiens naissent d'une *huée,* ou tout au moins *huer* redresse un fantôme qui trébuche.

Pour comprendre la hiérarchie nerveuse, il faut donc toujours revenir à la toute puissance du cri, aux instants où l'être qui crie croit avoir la garantie que son cri « s'entend jusque dans les couches les plus lointaines de l'espace » (p. 214). Un tel cri originel nie les lois physiques comme la faute originelle nie les lois morales. Un tel cri est direct et meurtrier ; il porte vraiment la haine jusqu'au cœur de l'adversaire, comme une flèche (p. 207). « Il me semblait que ma haine et mes paroles, franchissant la distance, anéantissaient les lois physiques du son, et parvenaient, distinctes, à leurs oreilles, assourdies par les mugissements de l'océan en courroux ». Ainsi le cri humain fait sa partie dans un univers en rage. La « bouche carrée » a trouvé sa voyelle.

VI

Comment un tel cri peut-il déterminer une syntaxe ? Malgré toutes les anacoluthes actives, comment l'être révolté peut-il conduire une action ? C'est le problème résolu par les *Chants de Maldoror*. Tout s'articule dans le corps quand le cri, lui-même inarticulé, mais merveilleusement simple et unique, dit la victoire de la force. Toutes les bêtes, même les plus inoffensives, ar-

ticulent un cri de guerre. Mais toutes les forces
sont parodiées dans la Nature. Et dans la vie
animale multiple qu'a vécue Lautréamont, il a
entendu des cris belliqueux qui sont « des glous-
sements cocasses ». Il a entendu des cris sans
hiérarchie qui font penser à ce que nous appel-
lerions volontiers des cris de masse, des cris qui
naissent de la masse biologique. C'est là,
semble-t-il, la pensée de Paul Valéry qui dit
dans Monsieur Teste : « Les doux bêlaient, les
aigres miaulaient, les gros mugissaient, les maigres rugissaient ». Il faut monter à l'humain
pour avoir les cris dominants. A travers un
fracas poétique, on les entendra passer dans les
Chants de Maldoror. Ceux qui voient dans ces
Chants une malédiction théâtrale se trompent.
C'est un univers spécial, un univers actif, un
univers crié. Dans cet univers, l'énergie est une
esthétique.

CHAPITRE VI

LE COMPLEXE DE LAUTRÉAMONT

« Nous entrâmes au salon pour nous reposer. M. Lenoy marchait devant nous; il s'arrête tout d'un coup et recule, tout interdit; nous avançons... Une panthère énorme, accroupie au fond de l'appartement, fixait sur nous ses yeux brillants et féroces; sa queue se redressait à l'entour de ses flancs tachetés et sa mâchoire entr'ouverte laissait voir de blanches et longues dents qui ne nous rassuraient pas. Cet animal était empaillé avec tant d'art qu'il était impossible de ne pas le croire vivant. »

Lettre de LECONTE DE L'ISLE,
citée par Estève.

« Leconte de Lisle entendit hurler sur la grève du Cap les chiens sauvages dont il devait, bien des années plus tard, interpréter les lamentables aboiements. Il vit des babouins et des autruches. Il put même contempler de près deux lions, vivants cette fois, un mâle et une femelle. Il est vrai qu'ils étaient en cage. « Le mâle n'a que « deux ans, il est déjà magnifique, « ses bonds sont effrayants et subli- « mes ; quand il rugit, les murs de sa « prison tremblent. » Mais plus qu'aux animaux féroces, empaillés ou non, il s'intéressa aux d a m e s du pays... »

ESTÈVE, *Leconte de Lisle*.

I

Pour bien mesurer toute l'importance d'un complexe, pour comprendre les sens multiples de la psychologie complexuelle, il est souvent intéressant de voir en action un complexe mal greffé, un complexe tiraillé par des contradictions, ralenti par des scrupules. Parfois aussi, le complexe décèle certains de ses caractères par le seul fait qu'il est sublimé artificiellement, qu'il est adopté sans foi, comme un moyen d'expression qu'on estime baroque, mais cependant compréhensible pour tous. Dans l'un et l'autre cas — insuffisance ou déviation — le dynamisme du complexe est comme faussé ; mais cette erreur, mais cet arrêt font soudain comprendre un mécanisme psychologique qui restait secret tant qu'il fonctionnait normalement.

Nous allons étudier différents exemples du *complexe de Lautréamont* larvé ou sclérosé ; sous des formes réduites, dans une énergie amoindrie, ces exemples nous paraîtront répugnants ou ridicules. On nous accusera peut-être alors d'appliquer sur des œuvres, qui, par d'autres côtés, restent belles et vivantes, un cadre qui les déforme, un système d'examen pédant. C'est toujours le reproche qu'on fait à ceux qui veulent comparer des âmes différentes, car la comparaison des âmes différentes revient toujours plus ou moins à dénier à ces âmes une originalité essentielle. Il semble évidemment plus séduisant d'aller tout de suite au centre des âmes individuelles, d'affirmer l'unité de ce centre, de vivre enfin avec une parfaite sympathie l'intimité et l'originalité profondes du héros spirituel qu'on étudie. Mais c'est précisément là que se trouve le paradoxe : *une originalité est nécessairement un complexe et un complexe n'est jamais bien original.* C'est en méditant ce paradoxe que l'on peut seulement reconnaître le génie comme une *légende naturelle,* comme une nature qui s'exprime. Si l'originalité est puissante, le complexe est énergique, impérieux, dominant : il mène l'homme ; il produit l'œuvre. Si l'originalité est pauvre, le complexe est larvé, factice, hésitant. De toute manière, l'originalité ne peut s'analyser entièrement sur le plan intellectuel. C'est seulement le complexe qui peut fournir la mesure dynamique de l'originalité.

La critique littéraire gagnerait donc à approfondir la psychologie complexuelle. Elle serait alors amenée à poser autrement le problème des influences, le problème de l'imitation. Pour cela, elle devrait remplacer la lecture par un *transfert,* au sens psychanalytique du mot. La sympathie reste une communion trop vague, elle ne modifie par les âmes qu'elle unit. En fait, nous ne pouvons nous comprendre clairement que par une sorte d'induction psychique, en excitant ou en modérant synchroniquement des élans. Je ne puis comprendre une âme qu'en transformant la mienne, « comme on transforme sa main en la mettant dans une autre [1] ». Une communion réelle est nécessairement temporelle. Elle est discursive. Dans la vie de passion, qui est la vie usuelle, nous ne pouvons nous comprendre qu'en *activant* les mêmes complexes. Dans la vie philosophique, souriante et sereine, désabusée ou douloureuse, nous ne pouvons nous comprendre qu'en *réduisant,* ensemble, les mêmes complexes, en diminuant toutes les tensions, en abjurant la vie.

Si l'on ne tient pas compte de ce double sens de variation, c'est qu'on ne comprend pas le

1. PAUL ELUARD, *Donner à voir,* p. 45.

caractère essentiellement dynamique de la psychologie complexuelle. Un complexe ne se comprend que par voie d'activation et de réduction.

II

Commençons par étudier le cas d'un complexe de Lautréamont factice, autant dire mal fait.

Un cas très évident de ce complexe s'étale, dans toute la complaisance de son artifice, tout le long du livre de H. G. Wells : *l'Ile du docteur Moreau*. On en sait le thème singulièrement pauvre : en tailladant les muscles et les viscères, en reséquant les os et en déboîtant les articulations, un chirurgien fabrique des « hommes » avec des animaux, avec de l'animal, morceau par morceau. Le scapel est manié comme un crayon : il suffit de rectifier une forme pour redresser un être. Il suffit de déplacer l'organe caractéristique pour modifier le caractère général : en greffant la queue du rat sur son museau, on obtient un éléphant en miniature. Ainsi travaille l'enfant quand il dessine ; ainsi travaille le romancier anglais quand il « imagine ».

Un naufragé arrive à point dans l'île du mystère chirurgical pour personnifier la peur et le dégoût devant une telle œuvre. Ainsi, c'est un spectateur qui est chargé des réactions affectives dont est, bien gratuitement, déchargé le chirurgien. Une telle méthode *analytique* qui disperse

les éléments du complexe sur plusieurs person-
nages interdit tout succès phychologique. Un
complexe doit garder sa synthèse des contraires;
c'est par la somme des contradictions amassées
qu'on a une mesure de la force du complexe.
Pour le complexe de Lautréamont, si étouffées
qu'en soient certaines harmoniques, il faut main-
tenir l'ambiguïté primitive : crainte et cruauté.
Crainte et cruauté, comme la cendre et la lave,
sortent du même cratère.

Naturellement, pour rejoindre le réel, — ce
qui est une manière de supposer qu'on n'en est
pas sorti, — Wells imagine la brutalité mal bri-
mée par les artifices du Dr Moreau : les forces
sourdes de la race limitent la puissance de cet
essai de biologie constructive ; l'odeur du sang,
la vue du carnage libèrent les dynamismes mal
canalisés et le roman finit par la révolte et la
revanche des animaux, prouvant l'invincibilité
des destins intimes.

Toute cette biologie artificielle essaie de se
soutenir par quelques observations scientifiques
rudimentaires ; mais cet effort de rationalisation,
qui est une prétention évidente au début de l'ouvrage, tourne court. Wells lui-même le sent ; son
esprit positif est soudain touché par la nostalgie
du mystère. Pour tenter de rendre plausible son
œuvre, pour effacer son aspect simpliste, son air
de sombre mascarade, Wells nous présente, à la
fin du roman, le narrateur entre la raison et la

folie, entre la réalité et les rêves. Aussi, dans les
dernières pages, l'ouvrage a peut-être quelque
intérêt pour un psychologue, puisqu'on pénètre
dans le véritable noyau formateur du récit.

Ce noyau formateur est, à notre avis, un complexe de Lautréamont, complexe sans vigueur,
développé sans fidélité, sans sincérité, qui n'a
donc pas pu donner une œuvre puissante, mais
qui a tout de même soutenu l'écrivain tout le
long d'une œuvre fausse et ennuyeuse.

Quelle est ici la marque ducassienne ? Elle est
aussi peu énergique que possible ; elle ne désigne
pas une force active, une tentation irrésistible ;
elle n'est qu'une sollicitation toute visuelle.
C'est l'étrange habitude de *voir* un animal particulier sous un visage humain. Ce fut l'idée direc-
trice de la physiognomonie de Lavater, qui eut,
à la fin du XVIIIᵉ siècle et durant la première
moitié du XIXᵉ, un succès bien significatif. Cette
habitude est une sorte de sympathie avec la
force de l'expression, avec le besoin d'exprimer.
Elle s'accroche à un indice. Elle stabilise une
attitude passagère. Elle nomme avec la promp-
titude d'un Créateur. Elle met, à jamais, des
noms d'animaux sur un homme, sur une famille.
D'une lycanthropie, elle fait un état civil. MM.
Leloup, Lelièvre, Lechat, Lecoq, Lapie, Lerat,
Lecerf, Labiche, Lebœuf sont les noms d'un
visage de jadis. Vice versa, quand un écrivain
donne à un personnage le nom d'un animal, in-

consciemment il lui donne le visage correspondant. Vigny, dans *Stello* (p. 104), en parlant du canonnier, dit tout naturellement « la tête longue de mon paisible Blaireau ».

Devant un visage humain ainsi animalisé, on éprouve une certaine satisfaction. Est-on heureux de dominer l'animal reconnu ? Est-on fier de se poser en tant qu'homme devant un frère inférieur portant la marque indélébile de l'animalité ? En tout cas, quand on a classé un visage selon les principes de Lavater, on a la naïve impression que l'effort majeur de la psychologie est ascompli ; on se sacre physionomiste et *par conséquent* psychologue ; on jouit, en riant, de sa découverte. Parfois cependant, on est envahi d'une certaine inquiétude devant ce décrément du visage humain ; l'on craint l'action et la revanche animales ; on suppose qu'un tel visage violent est déjà une violence. On le voit, les raisons d'affectivité simpliste ne manquent pas. Le narrateur du roman de Wells paraît avoir eu la hantise des diverses possibilités de l'animalisation en reliant les marques lavatériennes à des énergies ducassiennes en sommeil. Le roman de Wells nous met ainsi sur la trace d'une filiation psychologique de Lavater à Lautréamont [2] : « Je peux certifier que, depuis plusieurs années main-

2. H.-G. WELLS, *L'île du docteur Moreau*, trad., pp. 242-244.

tenant, une inquiétude perpétuelle habite mon esprit, pareille à celle qu'un linoceau à demi dompté pourrait ressentir. Mon trouble prend une forme des plus étranges. Je ne pouvais me persuader que les hommes et les femmes que je rencontrais n'étaient pas aussi un autre genre, passablement humain, de monstres, d'animaux à demi formés selon l'apparence extérieure d'une âme humaine, et que bientôt ils allaient revenir à l'animalité première et laisser voir tour à tour telle ou telle marque de bestialité atavique. » Quand « je regarde mes semblables autour de moi, mes craintes me reprennent. Je vois des faces âpres et animées, d'autres ternes et dangereuses, d'autres fuyantes et menteuses, sans qu'aucune possède la calme autorité d'une âme raisonnable. J'ai l'impression, que l'animal va reparaître tout à coup sous ces visages... ». « Quand je vivais à Londres... je ne pouvais échapper aux hommes...; des femmes qui rôdaient miaulaient après moi, des hommes faméliques et furtifs me jetaient des regards anxieux, des ouvriers pâles et exténués passaient auprès de moi en toussant, les yeux las et l'allure pressée comme des bêtes blessées perdant leur sang... Et il me semblait même que, moi aussi, je n'étais pas une créature raisonnable, mais seulement un animal tourmenté par quelque étrange désordre cérébral qui m'envoyait errer seul comme un mouton frappé de vertige. »

Qu'on réfléchisse au nombre assez grand d'adjectifs dans cette page, qu'on fasse ensuite la traduction inverse de celle que nous proposions dans un chapitre précédent pour adoucir le lautréamontisme, qu'on mette alors un animal spécifique sous l'âpreté d'un visage, un animal qui fuit sous un geste furtif, un animal qui miaule sous la plainte féminine, un autre avec la gueule puissante de la faim, bref qu'on *remonte* le lautréamontisme défaillant de ces pages et l'on en verra les justes couleurs, on en comprendra la juste synthèse complexuelle.

En tout cas, nous sommes au centre douloureux de cette œuvre présentée avec un appareil de raisons peu convaincantes ; c'est ici que se noue le complexe qui s'est sublimé « scientifiquement » à bon compte dans le roman de *l'Île du docteur Moreau*. L'écrivain pose le complexe, la légère névrose, comme une conséquence du spectacle qu'il a retracé ; il pose la souffrance comme le résultat d'un souvenir douloureux. Mais un psychologue un peu averti de la psychologie complexuelle ne peut s'y tromper : c'est dans les dernières pages du livre que se trouve le germe de sa production. Un psychanalyste retiendra toujours le dernier aveu comme l'élément primitif du drame.

Une psychanalyse semblable pourrait être appliquée au *Livre de la jungle*. Mais la psychologie plus profonde et plus nuancée de Rudyard

Kipling donnerait un dessin moins clair. C'est pourquoi, en exemple d'une première application de notre thème, nous avons voulu, avec l'œuvre de Wells, donner un schéma entièrement *dépoétisé,* satisfait d'une médiocre vraisemblance, expliqué dans une mascarade de la science, puérilisé par le souci dominant de distraire, oubliant par conséquent à peu près toutes les fonctions de l'œuvre littéraire.

III

Nous allons essayer de suivre le développement d'un complexe de Lautréamont dans une voie plus poétisante, mais qui ne nous permettra tout de même pas de retrouver, dans toute sa puissance, le verbe ducassien. Nous croyons en effet qu'une partie de la poésie de Leconte de Lisle reçoit un sens psychologique spécial quand on l'examine psychanalytiquement comme un complexe de Lautréamont, sans doute mal effectué, qui donne plus de cris que d'actes, mais qui explique cependant un très grand nombre d'images.

D'abord, il y a un bestiaire de Leconte de Lisle. Il n'a pas la richesse du bestiaire ducassien : il n'a pas surtout de réelle puissance phylogénétique; il n'a aucune vertu pour traduire les désirs en métamorphoses. Les animaux y apparaissent toujours adultes et complets. Ils y apparaissent dans une brutalité naïve, facile, dans une cruauté qui ne peut se travailler finement comme le long des phylogénèses ducassiennes, mais qui se bloque tout de suite dans une forme traditionnelle, contemplée dans ses traits pittoresques.

Il n'est pas difficile alors de montrer que la synergie des actes est mal observée, qu'elle n'a pas été éprouvée dans sa complexité vitale. Jamais Lautréamont n'aurait écrit un vers comme celui-ci :

Il va, frottant ses reins musculeux qu'il bossue.

D'abord, parce que le vers n'est pas beau, ensuite parce que cette gibbosité ne traduit pas cet étrange étirement inversé, ce délassement par contraction interne qui grossit un être d'une paresse qu'il sait éphémère et sans danger.

Leconte de Lisle ne remontant pas à l'origine nerveuse de l'action animale ne peut individualiser fortement les êtres de son bestiaire. En somme, on ne voit pas ce qui différencie la panthère noire et le jaguar. Les bonds ne sont pas décrits dans leur exacte cruauté. Ils ne sont que d'abstraites paraboles.

Quand Leconte de Lisle renforce ses bêtes, il les renforce avec des *adjectifs,* sans vivre l'action du verbe, sans comprendre la volonté spécifique des actes, sans éprouver les valeurs analytiques de la colère et de la cruauté. Ainsi l'étalon devient *carnassier,* comme les chevaux de Diomède, par simple entraînement littéraire. Leconte de Lisle n'a jamais vu le curieux regard d'un cheval qui mord.

En revanche, l'ours *rugit* dans les *Poèmes barbares,* alors que la légende dit simplement qu'il grogne. Voici en effet ce que dit une légende du moyen âge « Dieu passa, un quidam grogne, Dieu le change en ours pour qu'il grogne à son aise. » La tour noire *rugit* aussi en s'écroulant. De là, dans les *Poèmes barbares,* tant de rumeurs, de ruées, de poils raides, de cris rauques, toute une poésie en ra-re-ri-ro-ru, rugueuse comme un syllabaire, plus rageuse qu'enragée, s'écroulant soudain dans l'éboulement des adverbes et des substantifs en — ment.

Sa chevelure blême, en lanières épaisses,
Crépitait au travers de l'ombre horriblement ;
Et derrière, en un rauque et long bourdonnement
Se déroulaient, selon la taille et les espèces
Les bêtes de la terre et du haut firmament.

Parfois, le verbe durci dérange la souplesse des mouvements, contredit la vérité immédiate de l'impulsion. Jamais Lautréamont, le nageur, n'aurait écrit un vers comme celui-ci :

Dans l'onde où les poissons déchirent leurs *reins*
[blancs,

car le poisson est avant tout une *énergie latérale.*

Il nage à coups de flancs, et sa queue n'est que l'heureuse convergence de ses deux flancs. L'homme, au contraire, nage par une énergie verticale, à coups de reins. Les brasses, latérales, sont des adjonctions. Tant que de faire, pour traduire fidèlement la phénoménologie animale, il fallait suggérer une nage assez héroïque pour que les poissons s'y déchirassent les *flancs*. Mais comment Leconte de Lisle aurait-il résisté à la facile tentation de l'énergie sonore et vaine d'un *r* supplémentaire !

Les monstres, sommes de fougueuses métamorphoses chez Lautréamont, sont bloqués, chez Leconte de Lisle, dans les écailles de la tradition. Ekhidna,

> Fille de Krysaor et de Kallirhoé,

(si l'on veut bien nous permettre, pour une fois, de jouer de l'alexandrin et de fondre ainsi la coagulation des *k*), Ekhidna,

> Moitié reptile énorme écaillé sous le ventre,

n'est finalement qu'un monstre digérant ; elle dévore ses amants — d'accord avec les plus communs symboles de la psychanalyse — jusqu'à l'os. Elle n'a pas l'éminente violence des fautes neuves, des fautes ducassiennes !

Nous avons d'ailleurs établi avec précision le

bestiaire des *Poèmes barbares*. Le nombre des animaux cités est cent treize. Les répétitions des formes animales sont moins nombreuses que dans les *Chants de Maldoror* ; de sorte qu'on peut dire en gros que la densité animale est moitié moindre dans l'œuvre de Leconte de Lisle que dans l'œuvre de Lautréamont. L'animalité est d'ailleurs d'une intensité beaucoup plus faible. Elle est souvent vaincue, empaillée. Le loup géant est un loup vaincu : c'est un grand tapis, une descente de lit. Parfois apparaît « un vieux tigre résigné qu'un enfant mène en laisse [3] ». Puisqu'il est gros, l'hippopotame est poussif. Ainsi le veut la loi du diagnostic humain, trop humain. Les chasseurs, comme des bourgeois, chassent « pour de gras festins ». Les jars et les paons, symboles d'orgueil et de vanité, sont rôtis sans distinction. Des bêtes sont suscitées par la rime : l'auroch est créé pour rimer avec roc, ainsi le veut la loi des dures sonorités. L'oreille, organe passif, commande, contre toute hiérarchie, à des éléments qui relèvent de la poésie nerveuse ; il en résulte chez Leconte de Lisle des absurdités innombrables. La vie animale est platitude exprimée dans des vers plats [4] :

Si l'animal féroce a faim et soif, qu'il mange !

3. *Poèmes barbares*, p. 160.
4. *Ibid.*, p. 131.

Les oiseaux des îles viennent en foule pour l'étalage des couleurs : bengali, cardinal, colibri brouillent leurs saphirs et leurs rubis. Les animaux sont différenciés par des adjectifs qui tiennent mal à leur caractère, ce qui n'est jamais le cas chez Lautréamont. L'aigle est blanc, noir sans raisons. Parfois, Leconte de Lisle accumule les animaux dans la matrice d'un alexandrin sans pouvoir engendrer la vie [5] :

Chauves-souris, hiboux, guivres, dragons volants,

Signalons toutefois dans la même page une fusion animale du type ducassien qui justifie, croyons-nous, notre diagnostic complexuel :

Et voici que j'ai vu, par les ombres nocturnes,
S'amasser en un bloc les oiseaux taciturnes,
Se fondre étroitement comme s'ils n'étaient qu'un
Bête hideuse ayant la laideur de chacun,
Araignée avec dents et griffes, toute verte
Comme un Dragon du Nil, et d'écume couverte,
Ecume de fureur muette et du plaisir
De souiller pour autrui ce qu'on ne peut saisir.

Mais la fusion laisse trop de scories ; les dragons du cauchemar, sommes de dents et de pattes, gonflées de langues, ne sont jamais des

5. *Ibid.*, p. 334.

« Dragons du Nil ». Ils nagent dans des eaux
anonymes. Le rythme brise l'exaltation poétique ;
les inversions qui vont à la conquête de la rime
comme « d'écume couverte » emmêlent les
visions. Une telle page, touchée de didactisme,
n'a pas la valeur d'hallucination qui sera si sensible dans *la Tentation de Saint Antoine* de
Flaubert. Malgré les recherches de la sonorité,
Flaubert, en rêvant avec fidélité, saura dessiner
des images de pourpre sur le pur ébène de la
nuit : « J'ai habité le monde informe où som-
meillaient les bêtes hermaphrodites... dans la
profondeur des ondes ténébreuses, — quand les
doigts, les nageoires et les ailes étaient confon-
dus, et que des yeux sans tête flottaient comme
des mollusques, parmi des taureaux à face humaine et des serpents à pattes de chien [6]. »

Dans des impulsions plus franches, comme
celles qui montent de la colère à l'injure, les
animalisations réalisées par Leconte de Lisle
sont meilleures. Elles retrouvent naturellement
la traditionnelle synthèse des attitudes contradictoires, synthèse de la bouche qui s'ouvre et de
la bouche qui se ferme, réalisée par le chien qui
aboie et la vipère qui siffle [7] :

6. FLAUBERT, *La tentation de saint Antoine.* Ed. Crès,
p. 143, Cf. p. 16.

7. *Poèmes barbares,* p. 35.

Et je te châtierai dans ta chair et ta race,
O vipère, ô chacal, fils et père de chiens !

Mais ces injures forgées sur les modèles de la
tradition ne peuvent trouver la vigueur des injures premières et, en dépit de quelques beaux
vers, la force psychologique s'affaisse. Finalement, la psychologie complexuelle ne peut trouver que des schémas et des dessins, non pas des
élans et des forces, dans l'œuvre du poète par-
nassien.

Naturellement — est-il besoin de le dire ? —
notre critique ne se développe que sur le plan
de la dynamique psychologique ; elle ne mécon-
naît pas les beaux vers et les belles pages. Nous
admirons au passage, dans la ligne d'images qui
nous préoccupe [8] :

Le tigre népâlais qui flaire l'antilope.

Nous écoutons troublé les bruits de l'ombre [9] :

Où, par les mornes nuits, geignent les caïmans.

Nous restons fidèle à nos admirations d'écolier
pour des pièces comme *Les Éléphants, Le Sommeil du Condor, La Panthère noire.* Ce sont des

8. *Ibid.,* p. 139.
9. *Ibid.* p. 187.

chefs-d'œuvre de peinture, de la poésie sculptée, qui permettent, comme le dit si bien Albert Thibaudet, de ranger Leconte de Lisle parmi les « animalistes ». Tout historien de la poésie les retrouve comme des gravures réussies, bien adaptées aux goûts de leur époque, bien stabilisées dans une cité esthétique solide et sûre de sa constitution. La révolution en poésie est autre chose. Lautréamont est un risque.

IV

Nous nous bornons à ces deux exemples d'une explication complexuelle dans les domaines de la critique littéraire. Nous les avons choisis aussi divers que possible, puisque dans le premier nous évoquons une organisation presque consciente du thème, tandis que dans le second nous avons affaire à une poussée plus sourde, entièrement inconsciente. Le lecteur familier des œuvres de Leconte de Lisle aura peut-être une répugnance à accepter une telle explication. Nous le chargerons alors de l'*onus probandi* et nous lui demanderons d'expliquer l'accumulation des références à l'animal dans les *Poèmes barbares,* nous lui demanderons de justifier la dureté cherchée, l'âpreté voulue, les rauques échos d'une vie primitive, bref toute cette

légende savante de la primitivité, légende exposée sans le moindre appui objectif. Il lui faudra
bien répondre qu'on ne peut adhérer aux rudes
émotions des *Poèmes barbares* ou suivre la pesante hypothèse de Wells que par la communauté de certaines rêveries, que par un retour
puéril vers une origine vitale, vers une origine
brutale où l'on croit toujours saisir naïvement
la force jeune et terrible. L'homme le plus sensible, le plus adouci par la vie, rêve, en certaines
heures, à l'indompté. Il respecte, il admire, il
aime la force qui le défie. Comprendre la violence, c'est pour un philosophe, sur un mode
permis, sur un mode mineur, dans la vie déjà
aérienne des idées, l'exercer. *Comprendre* la
violence, c'est donner à la violence la garantie
morale de l'idéalisme. On découvre ainsi un
platonisme de la violence, une *violence platonique* plus curieuse encore que l'amour platonique. Ces philosophes ne chasseraient pas : ils
lisent *Le Runoïa :*

Chasseurs d'ours et de loups, debout, ô mes guerriers.

En résumé, s'il y a dans les poèmes de la
primitivité une raison de conviction, un attrait,
un charme, l'origine n'en saurait être dans la
séduction des images objectives, dans le souvenir exact ou dans la réminiscence d'un lointain

passé. Ces poèmes méconnaissent aussi bien la
réalité historique que la réalité objective. Ils ne
peuvent donc prendre leur force de synthèse
que dans un complexe inconscient, dans un
complexe si caché, si éloigné de ce qu'on sait
sur soi-même qu'on croit, en l'explicitant, découvrir une réalité.

V

Mais puisque nous avons fait ainsi le procès
du réalisme naïf de l'animalité, il faut nous de-
mander si les premiers efforts de l'objectivité
scientifique sont mieux dirigés, s'ils échappent
à la séduction première du complexe de Lautréamont. Il ne le semble pas. A propos du règne
animal, plus que tout autre règne de la nature,
le sens commun tient à ses idées premières, à
ses erreurs premières et il entrave longtemps les
connaissances positives. D'où les préceptes in-
croyables qui encombrent les *Matières médicales*
et qui conduisent à utiliser des remèdes spécifiques empruntés au règne animal.

D'ailleurs, on ne change jamais d'opinion sur
un animal parce qu'il est de prime abord classé
dans le groupe des animaux dangereux ou dans
le groupe des animaux inoffensifs. La connaissance est ici, plus nettement que partout ailleurs,

fonction d'une crainte. La connaissance d'un animal est ainsi le bilan de l'agression respective de l'homme et de l'animal. L'image première est la concrétion d'une émotion première. Jung a fait remarquer [10] qu'il « est presque impossible d'échapper au pouvoir des images primordiales ». Or l'animal correspond aux plus solides archétypes. On ne doit donc pas s'étonner devant l'induration profonde des phobies animales.

Une classification complète des phobies et des philies animales donnerait une sorte de *règne animal affectif* qu'il serait intéressant de comparer au *règne animal* décrit par les Bestiaires de l'antiquité et du moyen âge. On verrait que dans les deux cas — dans les vésanies et dans les bestiaires — les valeurs objectives sont aussi rares, dans les deux cas la polarisation affective est aussi nette.

On pourrait alors accentuer le rapprochement, chaque jour plus étroit, de la psychiatrie et de la psychologie animale. Korzybski a en effet montré récemment que la psychologie animale pouvait illustrer la plupart des diathèses décelées par la psychiatrie. Ainsi les malformations de l'imagination humaine retombent à des formes animales réelles. Les beaux travaux de H. Baruk sur l'expérimentation animale en psy-

10. C. G. JUNG, *Le moi et l'inconscient*, N.R.F., p. 236.

chiatrie apporteraient d'innombrables arguments pour soutenir cette thèse [11].

Il faudrait peut-être même aller plus loin et poser franchement la réciproque de la thèse précédente. On serait alors conduit à dire que *l'animal est un aliéné,* ou encore, en forçant la note pour la rendre sensible, que les diverses espèces animales sont diverses formes d'aliénations mentales. Il y a à cela une raison, c'est que l'animal est soumis à un déterminisme vital spécifique. Il n'est pas une « machine », mais, plus exactement, il est le jouet d'une animalité machinée. L'instinct est une monomanie, et toute monomanie décèle un instinct spécifique. La manière la plus rapide de décrire une aberration humaine est de la rapprocher d'un comportement animal. L'animal est un psychisme monovalent.

A l'autre pôle, voici l'humain. Il est donné par la belle définition proposée par André Gide : « J'appelais l'homme : l'animal capable d'une action gratuite. » La guérison vraiment humaine sera donc un constant démenti aux instincts ; elle sera une libération qui échappe à toutes les formes d'aliénation animalisante. L'action doit par conséquent traverser un temps d'inhibition

11. Cf. Korzybski, *Science and Sanity,* p. 362: New-York. — H. Baruk, *Psychiatrie médicale, physiologique et expérimentale,* pp. 188 et suiv. Paris, Masson, 1938.

pour se spécifier vraiment comme action humaine. Peut-être un bon entraînement vers cette
inhibition consiste-t-il à effectuer les instincts à
contre-temps, en mettant, par exemple, une
certaine agression dans la tendresse, une certaine pitié dans l'holocauste. Alors l'affectivité
donne des fleurs multiples et multicolores.

Cette faible esquisse d'une thèse que nous ne
pouvons développer longuement dans ce petit
livre suffira peut-être à poser le problème de la
« folie » de Lautréamont sous un jour plus clair
et à concilier les thèses adverses. Il est d'abord
très évident qu'une adhésion si volontaire à la
vie animale doit donner au lecteur l'impression
très nette de la frénésie. Mais il y a, dans les
Chants de Maldoror, une telle variété de fréné-
sies, une telle puissance de métamorphose que
la rupture des instincts se trouve à notre avis
réalisée. Nous avons signalé que les *Chants de
Maldoror* contenaient aussi des expériences
d'actions suspendues, de menaces ajournées, de
conduites différées, bref des signes d'un psychisme non seulement cinétique, mais vraiment potentiel. Il semble donc que Lautréamont ait dou-
blement échappé à la fatalité des actes et que sa
pensée étrange et fougueuse reste quand même
la pensée d'une âme humaine maîtresse d'elle-
même.

Si cette déduction était exacte, on pourrait
voir réciproquement dans le lautréamontisme

une illustration des gratuités gidiennes. Cette illustration apparaîtrait même comme fort claire, car les traits en sont grossis et simplifiés. Il semble que le dessin des actes chez Lautréamont ne connaisse que la ligne droite. La gratuité gidienne a plus de souplesse : elle courbe tout, jusqu'à l'impulsion. Elle trouve ainsi une richesse intime du geste bien différente de la richesse ostensible des gestes. Autrement dit, la gratuité reste comme extérieure à l'être quand on la reconnaît chez Lautréamont alors qu'elle est vraiment intégrée dans l'être avec André Gide. Mais enfin l'apprentissage de la gratuité trouve une première leçon dans les *Chants de Maldoror*. André Gide a été un maldororien de la première heure [12].

On nous reprochera peut-être d'avoir souligné d'un trait trop fort les déviations produites par l'imagination dans l'établissement des bestiaires médiévaux. En fait, il y a action réciproque entre les imaginations naïves et les images des animaux. Les bestiaires restent sous une forme puérile parce que la culture puérile est de prime abord très attachée aux bestiaires. Les enfants des villes reçoivent comme premiers jouets des ménageries. Leurs premiers livres sont souvent de véritables bestiaires. On s'est demandé si les

---

12. Cf. Art. VALÉRY RABAUD, *loc. cit.*

couleurs du *sonnet des voyelles* n'étaient pas un reflet de l'abécédaire coloré d'Arthur Rimbaud. Un abécédaire animalisé aurait-il aussi marqué à jamais l'inconscient d'Isidore Ducasse ?

Quoi qu'il en soit, il est bien sûr que le problème de la culture du verbe devrait être individualisé. On s'apercevrait que le rapport des impressions premières et des premiers mots, des premiers complexes et des premiers tropes est beaucoup plus étroit qu'on ne l'imagine et qu'en conséquence la poésie, dans sa fonction verbale primitive, entièrement différente de la fonction sémantique, s'inscrit à jamais au fond de certaines âmes privilégiées. La poésie se révèle alors comme un syncrétisme psychique naturel. C'est ce syncrétisme qui se reproduit dans certaines expériences d'endophasie et d'écriture automatique. La poésie primitive est toujours une expérience psychologique profonde [13].

13. Cf. JEAN CAZAUX, *Surréalisme et Psychologie*, passim.

CONCLUSION

« Il n'y a qu'un animal... L'animal
est un principe... »

BALZAC.

I

En suivant un rameau bien particulier de
l'évolution poétique, nous venons de voir que
s'ordonne tout le long de son développement une
suite d'états poétiques nettement définis, qui
portent tous la marque d'une réalité psychologique très spéciale. Si l'on pouvait poursuivre et
compléter notre ébauche, il nous semble qu'on
découvrirait une véritable *ligne de force* de
l'imagination. Cette ligne de force partirait d'un
pôle vraiment vital, profondément inscrit dans
la matière animée, — elle traverserait un monde
de formes vivantes *réalisées* dans des bestiaires
bien définis, — puis une zone de formes *essayées*
comme rêves expérimentaux, suivant la formule
donnée par Tristan Tzara, — elle aboutirait

enfin à la conscience plus ou moins claire d'une liberté presque anarchique de spiritualisation. Tout le long de cette ligne de force, on doit sentir la richesse de la matière vivante ; suivant le stade de la métamorphose, c'est la vie sourde qui brûle, c'est la vie précise qui attaque, c'est la vie rêveuse qui joue et qui pense.

Une telle *ligne de force* nous paraît susceptible de faire la synthèse de deux belles œuvres philosophiques, très différentes, qui viennent de renouveler la doctrine de l'imagination créatrice : *Imagination et Réalisation,* d'Armand Petitjean, et *Le mythe et l'homme,* de Roger Caillois. Ces deux ouvrages apportent une lumière neuve sur le caractère biologique de l'imagination, et par conséquent sur la nécessité vitale de la poésie. Avec ses deux principes dialectiques de la coordination interne des formes et du chatoiement incoordonné des parures, la poésie est ainsi le facteur dominant de l'évolution.

Sans prétendre résumer en quelques pages des livres qu'il faut lire la plume à la main, nous allons indiquer comment nous les mettons en perspective, comment aussi nous en dévions légèrement la ligne pour qu'elle rencontre nos propres réflexions. Nous reconnaîtrons alors que l'axe du lautréamontisme nous aide à dessiner cette ligne de force qui représente l'effort esthétique de la vie.

II

Roger Caillois nous apparaît comme le record-man de la descente dans la réalité vivante, tandis qu'Armand Petitjean, travaillant à l'autre pôle de la poésie biologique, dégage les conditions très cachées des nouvelles réalisations vitales.

Roger Caillois nous fait descendre dans le Maelstrom de la vie, jusqu'au centre même du tourbillon qui dynamise l'évolution biologique. En approchant de ce pôle, on comprend que l'être vivant a un *appétit de formes* au moins aussi grand qu'un *appétit de matière*. Il faut que l'être vivant, quel qu'il soit, solidarise des formes diverses, vive une transformation, accepte des métamorphoses, étale une causalité formelle réellement agissante, fortement dynamique. On doit donc trouver une certaine correspondance ponctuelle entre les diverses *trajectoires formel-les,* c'est-à-dire entre les formes que traversent les différents êtres qui se caractérisent par un devenir formel spécifique. C'est alors que se pose l'équation cailloisienne fondamentale entre l'homme et l'animal[1] : « Ici une conduite, là une mythologie. » Ce qui relie les actes de l'insecte dans une conduite relie les croyances de l'homme dans une mythologie. Une étude ap-

---

1. R. Caillois, *Le Mythe et l'Homme,* p. 81.

profondie de poésie projective doit arriver à
projeter l'une sur l'autre une conduite animale
sur une mythologie humaine.

Cette égalité de la conduite animale et du
mythe humain a une tout autre fonction que le
parallélisme bergsonien, désormais classique,
entre l'instinct et l'intelligence. Instinct et intelligence travaillent en effet sous l'impulsion de la
nécessité extérieure, tandis que les conduites et
les mythes peuvent apparaître comme des destins plus intimes. Alors l'être agit *contre* la
réalité et non plus en s'égalant à la réalité. Les
conduites agressives et les mythes cruels sont,
tous deux, des fonctions d'attaque, des principes
dynamisants. Ils aiguisent l'être. Il ne s'agit pas
simplement d'un savoir-faire : soit sur le mode
de la conduite, soit sur le mode du mythe, il faut
vouloir faire, il faut l'énergie de faire. Alors
dévorer prime assimiler ; mieux, on n'assimile
bien que ce qu'on dévore.

Au niveau de cette violence, on découvre toujours un commencement gratuit, un commencement pur, un instant d'agression, un instant
ducassien. L'agression est imprévisible aussi
bien pour l'attaquant que pour l'attaqué : c'est
là une des plus claires leçons qu'on tire de
l'étude de Lautréamont.

Cette agression, commandée par un instant
lucassien, on la trouve dans l'instinct comme
dans l'intelligence. Il faut placer une cruauté à

l'origine de l'instinct; sans cruauté la *conduite
animale* ne peut pas commencer. L'être le plus
infime, le papillon le plus innocent devant la
fleur la plus belle ne peut pas dérouler sa trompe
sans le geste d'attaque. Mais l'intelligence aussi
doit avoir un *mordant*. Elle *attaque* un problème.
Si elle sait le résoudre, elle en confie le résultat
à la mémoire, à l'organisé, mais en tant qu'elle
organise vraiment, elle agresse, elle transforme.
Une intelligence vive est servie par un regard
vif et par des paroles vives. Tôt ou tard, elle doit
blesser. L'intelligence est toujours un facteur de
surprise, de stratagème. Elle est une force hypocrite. Quand elle attaque résolument, c'est après
mille feintes. L'intelligence est une griffe qui
brise en éraflant.

Dès lors l'équation cailloisienne, surtout si l'on
insiste un peu sur la phase initiale d'agression,
nous amène à cette idée que *l'acte pur* doit vouloir une forme, une cohérence, un succès total
déjà assuré dans son agression initiale. L'acte
pur, bien dégagé des fonctions passives de la
simple défense, est alors, dans toute l'acception
du terme, *poétisant*. Il détermine une conduite
chez l'animal et un mythe chez l'homme primitif. Pierre Janet a fort justement mis en valeur
la phase d'inauguration qui place toute cérémo-
nie dans un temps épuré, qui l'arrache à la vie
quotidienne, qui impose une poésie, qui donne
en un instant une suprématie à la cause formelle

sur la cause efficiente. Nous verrons, en étudiant
l'ouvrage d'Armand Petitjean, que l'acte pur
détermine un art et une science dans leur nou-
veauté, et qu'en conséquence les rapports de
l'imagination et de la volonté sont plus étroits
qu'on ne le suppose généralement. En tout cas,
nous en avons assez dit en ce qui concerne la
thèse de Roger Caillois pour faire comprendre
qu'on peut y voir une extrapolation des impulsions ducassiennes, un prolongement de l'axe
ducassien du côté des valeurs biologiques. Cette
zone de la vie primitive est extrêmement riche
et diverse. Comme nous le laissions prévoir plus
haut [2], le bestiaire de nos rêves anime une vie
qui retourne aux profondeurs biologiques. Le
symbolisme sexuel de la psychanalyse classique
n'est qu'un aspect du problème. Toutes les fonctions peuvent créer des symboles ; toutes les
hérésies biologiques peuvent donner des fantasmes. Roger Caillois découvre et explore cet infra-
rouge de la vie ardente dont on ne soupçonnait
pas l'étendue avant le livre : *Le mythe et
l'homme.*

Réciproquement, il nous semble que le lautréamontisme effectue, sur un mode un peu trop
grossi, une partie des forces vitales poétisantes
décelées par Caillois. Avec Lautréamont, en effet,

2. Cf. *supra*, p. 20.

la poésie s'installe franchement dans un dynamisme clair, comme un besoin d'actes, comme une volonté de profiter de toutes les formes vivantes pour caractériser poétiquement l'action de ces formes, leur causalité formelle. Mais les *conduites* ducassiennes sont plutôt *lancées* que *suivies* ; elles finissent donc par perdre la souplesse des conduites réelles, ainsi que la tendresse des conduites poétiques. Elles sont si brusquées, si droites qu'elles ne peuvent recevoir toutes les fines sollicitations que le mythe poétique arrive à intégrer à la conduite animale qui lui sert de base. On s'explique alors que la poésie ducassienne, pleine d'une force nerveuse surabondante, porte une marque décidément inhumaine et qu'elle ne nous permette pas de faire la synthèse harmonieuse des forces obscures et des forces disciplinées de notre être.

III

Transportons-nous maintenant à l'autre pôle de la ligne de force qui parcourt l'imagination vitale ; nous verrons comment Armand Petitjean découvre et explore l'ultra-violet de la vie lucide. Nous verrons aussi qu'à l'égard du lautréamontisme, nous sommes devant une autre extrapolation.

Il semble d'abord bien évident qu'il faille lutter contre la médiocrité de notre vie psychologique, qu'il faille, à la fois, briser les images et briser les conduites, pour trouver les « res novae » en nous et hors de nous. Les procédés de la désobéissance ducassienne semblent bien insuffisants, les actes énergisés dans des imitations animales paraissent bien peu nombreux quand on a compris l'importance de la désobéissance petitjeanienne. Aussitôt libérées, les valeurs lucides vont activer l'imagination et la faire passer de l'imitation à la création. L'imagination ne sera plus, pour Petitjean, une adéquation à un passé, quel qu'il soit. Passé du réel, passé de la perception, passé du souvenir — le monde et les rêves — ne nous donnent plus que des images à détruire, à fracasser. L'imagination est alors une adéquation à un avenir. L'image petitjeanienne n'est donc pas à notre avis, objet de vision. Elle est objet de prévision. Prévoir, c'est toujours imaginer. L'imagination doit caresser les formes en relief de l'avenir prochain. De l'avenir, elle doit faire le bilan énergétique pour distinguer ce qui résiste et ce qui va céder. Elle cueille le fruit mûr, la forme achevée avec son duvet et son jus. Les formes sont les instants *décisifs* de la causalité formelle. Et l'on retrouve facilement, en méditant l'ouvrage de Petitjean, les enseignements et les paradoxes ducassiens : les instants décisifs

de la causalité formelle sont les instants où les
formes se transforment, où la métamorphose
donne le jeu complet de l'être.

Puisque l'imagination, essentiellement, prévoit,
la poésie serait rendue à son rôle de prophétie,
si ce rôle n'avait donné lieu à d'évidents abus.
En fait, la prophétie de la nouvelle pensée ne
procède pas d'un esprit pythien ; elle est à la
fois plus naturelle et plus rationnelle. On ne
demandera donc pas au poète de nous livrer « de
rugissants secrets », comme dit Huysmans, car
les secrets ne sont pas intimes ; ils ne sont pas
charnels ; ils ne sont pas enfouis dans le passé,
car tous les passés se ressemblent. Les secrets
sont plutôt formels, mathématiques, projetés
comme des signes bien cohérents dans un avenir
bien fait.

Cependant, pas plus que Lautréamont, Petitjean ne pose une transcendance lointaine. Pour
lui, la prévision est immanente à la vision; on
ne voit bien que si l'on prévoit un peu; de sorte
qu'une méditation psycho-physiologique de la
vision donnerait une *psychique de la nature*
dans le même temps qu'une méditation sur
l'objectivité de la connaissance du réel donnerait
une *physique de la pensée* [3]. Sous une forme un

---

3. On trouvera au chapitre XII du livre d'ARMAND PETIT-
JEAN : *Le Moderne et son prochain*, un exposé des motifs
d'une œuvre prochaine. Cf. en particulier l'union d'une
Physique de la pensée et d'une Psychique de la nature.

peu rapide, on peut dire que les images et l'imagination sont aussi étroitement unies que l'action et la réaction dans le règne des forces. On saisit « les obligations réciproques entre objet et sujet, l'objet requérant le sujet pour se libérer de soi, en Imagination, ce qui est s'accomplir, et l'objet tenant lieu au sujet de charnière autour de laquelle il puisse se dédoubler par l'Imagination abolissant à jamais son hasard [4] ».

Ainsi, la gratuité des actes est finement administrée. La cause formelle maîtrise sans l'écraser le hasard du pittoresque. Il semblait qu'en se dégageant brusquement, Lautréamont brisait arbitrairement les conduites, mais qu'il se soumettait toujours à une conduite. Lautréamont a été ainsi le jouet de ses jouets, l'esclave de ses moyens de libération. Petitjean ne tombe pas dans ce travers. Il coordonne ses libertés. Il comprend qu'on ne peut pas déterminer les actions par des impulsions, le courage par de simples vitesses. Autrement dit, la pensée imaginante ne peut être cinétisme pur. On ne peut en éprouver tout le charme dans l'allégresse d'agir sans but. Vraiment le jeune et ardent philosophe qu'est Armand Petitjean veut que l'imagination *réalise*. Ce n'est que par une réalisation que l'imagination peut avoir une convergence.

---

4. ARMAND PETITJEAN, *Imagination et Réalisation*, p. 68.

Mais la réalisation, dans le monde des images, ne réclame pas la domination des causes efficientes, et l'esprit, dans son activité imaginante, va être déchargé du poids des choses. Ce qu'il faut avant tout maîtriser, c'est la cause formelle. L'imagination doit éviter que les causes formelles suivent le destin catagénétique qui laisse en quelque sorte, par une inertie spéciale, les formes s'indurer, puis peu à peu se ternir et s'user comme un tuffeau mangé par les mousses, trahi aussi, plus intimement, par la matière poreuse et lâche. L'esprit doit donc retrouver la jeunesse de la forme, la vigueur ou plutôt l'allégresse de la causalité formelle ; il doit calquer une croissance de beauté quand l'innocence d'un regard se transforme en tendresse. Enfin, dans la plénitude de l'âge, l'esprit doit atteindre une causalité formelle frémissante qui développe des projets en tous sens.

Nous arrivons ainsi à une *poésie du projet* qui *ouvre* vraiment l'imagination. Le passé, le réel, le rêve lui-même ne nous donnaient que l'imagination fermée, puisqu'ils n'ont à leur disposition qu'une collection déterminée d'images. Avec l'imagination ouverte apparaît une sorte de *mythe de l'espérance* qui est symétrique du *mythe du souvenir*. Ou plutôt l'espérance est l'impression vague, vulgaire, pauvre qui colorait l'avenir d'un homme quasi aveugle. C'est une autre lumière qu'apporte la doctrine de l'imagination active. Le *projet,* autrement dit l'espérance formelle, qui vise une forme pour elle-même, est bien différent du projet qui vise une forme comme le signe d'une réalité désirée, d'une réalité condensée dans une matière. Les formes ne sont pas des signes, ce sont les vraies réalités. L'*imagination pure* désigne ses formes projetées comme l'essence de la réalisation qui lui convient. Elle jouit naturellement d'imaginer, donc de changer de formes. La métamorphose devient ainsi la fonction spécifique de l'imagination. L'imagination ne comprend une forme que si elle la transforme, que si elle en dynamise le devenir, que si elle la saisit comme une coupe dans le flux de la causalité formelle exactement comme un physicien ne comprend un phénomène que s'il le saisit comme une coupe dans le flux de la causalité efficiente.

IV

Si l'on accepte ces vues, on se rendra compte que les métamorphoses brutales et fougueuses de Lautréamont n'ont pas résolu le problème central de la poésie, car ces métamorphoses ont dû prendre la causalité efficiente des gestes naturels. Mais les métamorphoses ducassiennes ont eu l'avantage de désancrer un type de poésie qui s'abîmait dans une tâche de description. Il faut maintenant, à notre avis, profiter de la vie rendue aux puissances de métamorphose pour accéder à une sorte de *non-lautréamontisme* qui doit, en tous les sens, déborder les *Chants de Maldoror*. Nous employons toujours le terme de non-lautréamontisme en lui donnant la même fonction que celle du non-euclidisme qui généralise la géométrie euclidienne. Il ne s'agit donc nullement d'une *opposition* au lautréamontisme, mais d'éveiller des dialectiques au niveau des principes ducassiens les plus féconds.

C'est dans une réintégration de l'humain dans la vie ardente que nous voyons la première démarche de ce non-lautréamontisme. La question à poser est donc la suivante : Comment provoquer des métamorphoses vraiment humaines, vraiment anagénétiques, vraiment *ouvertes* ? La voie de l'effort humain direct n'est qu'un pauvre prolongement de l'effort animal. C'est dans le *rêve d'action* que résident les joies vraiment humaines de l'action. Faire agir sans agir, quitter le temps lié pour le temps libre, le temps de l'exécution pour le temps de la décision, le temps lourdement continu des fonctions pour le temps miroitant d'instants des projets, remplacer la philosophie de l'action, qui est trop souvent une philosophie de l'agitation, par une philosophie du repos, puis par une philosophie de la conscience du repos, de la conscience de la solitude, de la conscience de la force en réserve, telles sont les tâches préliminaires pour une pédagogie de l'imagination. Il faut ensuite partir de ce repos de l'imagination pour retrouver des motifs de pensée sûrement désanimalisée, libre de tout entraînement, retranchée de l'hypnotisme des images, nettement détachée des *catégories* de l'entendement qui sont des concrétions de prudence spirituelle, « des états fossiles du refoulement intellectuel ». On aura ainsi rendu l'imagination à sa fonction d'essai, de risque, d'imprudence, de création.

Alors l'esprit est libre pour la *métaphore de métaphore*. C'est à ce concept que nous aboutissions dans notre livre récent sur la *Psychanalyse du Feu*. La longue méditation de l'œuvre de Lautréamont n'a été entreprise par nous qu'en vue d'une *Psychanalyse de la Vie*. Au fond, résister aux images du Feu ou résister aux images de la Vie, c'est la même chose. Une doctrine qui résiste aux images premières, aux images déjà faites, aux images déjà enseignées doit résister aux premières métaphores. Elle doit alors choisir : faut-il brûler avec le feu, faut-il rompre avec la vie ou continuer la vie ? Pour nous, le choix est fait : pensée et poésie nouvelles réclament une rupture et une conversion. La vie doit vouloir la pensée. Aucune valeur n'est spécifiquement humaine si elle n'est pas le résultat d'un renoncement et d'une conversion. Une valeur spécifiquement humaine est toujours une valeur naturelle *convertie*. Le lautréamontisme, résultat d'une première dynamisation, nous paraît alors comme une valeur à convertir, comme une force d'expansion à transformer. Il faut greffer, sur le lautréamontisme, des valeurs intellectuelles. Ces valeurs en recevront un mordant, une audace, une prodigalité, bref, tout ce qu'il faut pour nous rendre une bonne conscience, une joie d'abstraire, une joie d'être homme.

En suivant notre interprétation non-lautréamontienne du lautréamontisme, on perdra sans doute tous les bonheurs de la colère ; on gardera les charmes de la vivacité. De toute manière, un lecteur des *Chants de Maldoror,* qui aura vécu une fois sous la forme nerveuse la poésie de l'agression, n'oubliera jamais sa vertu tonifiante. Lautréamont place la poésie dans les centres nerveux. Il projette, sans intermédiaire, la poésie. Il se sert du *présent* des mots. A ce simple point de vue linguistique, il était déjà en avance sur les poètes de son temps qui ont, pour la plupart, vécu une histoire de la langue, parlé une phonétique classique et qui nous ont redit, comme Leconte de Lisle, un écho souvent impuissant, toujours invraisemblable des voix héroïques du passé.

TABLE

ACHEVÉ D'IMPRIMER
EN JANVIER 1986
PAR L'IMPRIMERIE
DE LA MANUTENTION
A MAYENNE
N° 9292

N° d'édition : 801
IMPRIMÉ EN FRANCE